BEST SELLER

Mario Borghino es director general de la empresa Borghino Consultores, empresa especializada en alta dirección. Se ha desempeñado como consultor de empresas por más de 30 años, elaborando procesos de transformación, planeación estratégica y liderazgo para las empresas más importantes en México, Centroamérica, Sudamérica y España.

Realizó estudios en Relaciones Industriales, maestría en Desarrollo organizacional y postgrado en Alta Dirección y Mercadotecnia Integral.

Es un destacado conferencista en temas de liderazgo, dirección de empresas y cambio organizacional. Escribe en varias revistas de negocios, es colaborador en el noticiero *Monitor* y en el canal 4 de Televisa en el programa *Mundo Ejecutivo*.

¡Colabore con nosotros en la cultura de la superación y el éxito!

Estimado lector: Si usted conoce alguna historia de éxito, escríbanos a nuestra dirección:

mario@borghino.com.mx

La idea es recopilar esas historias desconocidas incluirlas en un próximo libro.

En agradecimiento, les haremos llegar un poster de *El camino hacia la inteligencia financiera.*

Gracias.

MARIO BORGHINO

El arte de hacer dinero

Una nueva perspectiva para desarrollar su inteligencia financiera

DEBOLSILLO

El arte de hacer dinero
Una nueva perspectiva para desarrollar su inteligencia financiera

Primera edición en Debolsillo: 2007
Quinta reimpresión: enero, 2010

www.rhmx.com.mx

Comentarios sobre la edición y contenido de este libro a:
literaria@rhmx.com.mx

ISBN 978-970-780-437-1

Impreso en México / *Printed in Mexico*

Esta edición se terminó de imprimir en Litográfica Ingramex S.A. de C.V.,
Centeno 162-1, Col. Granjas Esmeralda, C.P. 09810, México D.F.,
en el mes de enero de 2010.

Tirada México: 5,000 ejemplares
Tirada Colombia: 1,000 ejemplares

Índice

Introducción

La razón por la cual he decidido escribir este libro es que, en mis 30 años como consultor de empresas, he visto miles de líderes y ejecutivos, ricos y pobres. Constructores de riqueza y sibaritas derrochadores de dinero. Con el tiempo he confirmado que los grandes líderes se caracterizan por ser personas que dirigen su vida económica con los mismos principios con el que dirigen sus empresas. He visto líderes retirarse de la vida activa y hacer trabajos para instituciones no lucrativas y construir riqueza igualmente para dicha institución. Es como su ADN que los distingue de las conductas de las demás personas. Su modelo para construir riqueza lo aplican a todo lo que hacen, inclusive en sus finanzas personales. Muy pocas veces he visto líderes pobres; me refiero, desde luego, a los auténticos líderes, no a quienes simplemente ostentan una posición de liderazgo. Los líderes comparten prácticamente las mismas virtudes que la mayoría de las personas económicamente exitosas. Es más, cuando se habla de personas con dinero se establece una asociación natural con los líderes, y viceversa; en el imaginario colectivo de Occidente, *líder* y *solvencia económica* son términos con connotaciones muy semejantes.

Espero que en las páginas de este libro encuentre usted las herramientas necesarias para construir el liderazgo que le permita alcanzar su independencia financiera y acumular lo suficiente para los años en que usted se retire de la vida activa, es decir, lograr el liderazgo con el que pueda hacer realidad su proyecto de vida económica.

La independencia financiera requiere que usted aplique los principios de liderazgo en su ámbito económico, y el principio fundamental que le permitirá la prosperidad será el dominio de sí mismo, esto es, la madurez de carácter, pues sin ello difícilmente podrá tener una visión clara de cómo obtener la independencia financiera que, expresada con una frase fácil de memorizar, consiste en hacer que el dinero trabaje para usted, y no que usted trabaje para el dinero. El objetivo de todo líder en el ámbito financiero es modificar o desechar aquellas conductas que atentan contra su estabilidad económica. Reza un antiguo proverbio chino: "Los ingenieros cambian el rumbo de las aguas, los carpinteros dan forma a la madera, pero sólo virtuosos se moldean a sí mismos".

Este libro pretende resolver las dudas de aquellas personas que, por distintas razones, se interesan en los temas del dinero pero, sobre todo, está pensado como una guía práctica para los ciudadanos comunes que desean tener una vida confortable y un respaldo económico suficiente, o que quieren que sus hijos asistan a una buena universidad. Incluso, podría servirles a quienes ya tienen mucho dinero para reflexionar en sus conductas habituales y modificarlas si no les dan estabilidad y control de su vida.

A lo largo de los años, he observado que los líderes son personas con sueños que siempre los convierten en realidad. Conozco muchos líderes que iniciaron su vida de negocios con una idea y, al cabo del tiempo, la transformaron en una empresa que hoy da trabajo y oportunidades a miles de personas. Son verdaderos constructores de riqueza, no sólo para ellos sino también para miles de personas. Es de estos líderes de quienes debemos aprender a construir nuestra riqueza personal. Seguramente usted conoce a algunos líderes —tal vez en su propia familia o en su círculo de amigos— que transformaron una simple idea en un imperio económico, y eso fue posible porque poseen una sensibilidad especial para identificar las oportunidades y un talento natural para consolidar sus finanzas.

"la independencia financiera consiste en hacer que el dinero trabaje para usted, y no que usted trabaje para el dinero"

Tal vez piense que la realidad económica por la que está usted atravesando en estos momentos es muy difícil y no ve cómo podría alcanzar su independencia financiera si vive agobiado por sus deudas. Sin embargo, muchos problemas económicos no se explican por la falta de ingresos, sino por la indisciplina en sus gastos y su incapacidad para ahorrar. A propósito, otro objetivo de este libro es que usted descubra que el entrenamiento que su mente ha recibido durante años es lo que lo tiene en la situación actual. Muchísimas personas salen de casa todas las mañanas a ganar algo que no saben cómo se maneja y, no obstante, atribuyen su falta de dinero al bajo salario devengado. Dicen: "Lo que gano no me alcanza para nada". Ésta es su conclusión fatalista, aunque el problema de fondo radica en los hábitos de consumo y en el desconocimiento de cómo administrar sus ingresos. Han vivido sin tener control de sus finanzas y la culpa de todo se la atribuyen a su sueldo. Si en esta sociedad el dinero es y seguirá siendo el medio de intercambio para obtener satisfactores, ya va siendo hora de que usted domine los principios que lo rigen. Su prosperidad no

"muchos problemas económicos no se explican por la falta de ingresos, sino por la indisciplina en sus gastos y su incapacidad para ahorrar"

depende únicamente de sus ingresos, sino de la forma en que los administra. En otras palabras: lo importante no es lo que gana, sino cómo lo gasta; es más, lo que importa verdaderamente es cuánto de sus excedentes invierte en su futuro.

Históricamente, las bases de la prosperidad económica no han cambiado demasiado; nuestros abuelos aplicaron muchos de esos principios durante toda su vida. Sin embargo, nuestra sociedad moderna se basa, fundamentalmente, en el consumo: una propaganda incesante acerca de una infinidad de productos y servicios nos espera cada mañana y a cada instante. Vivimos en una época donde aparentemente es posible tenerlo todo con el "poder nuestra firma", pero detrás de este espejismo siempre habrá alguien que querrá enriquecerse a costa nuestra. Que no suceda es responsabilidad de nosotros y de nadie más.

CAPÍTULO UNO

Piense como *millonario*

la riqueza aparente

"Las personas exitosas son aquellas que primero crean sus activos y luego definen su estilo de vida".

ES SORPRENDENTE DESCUBRIR que un porcentaje muy elevado de personas que aparentan tener mucho dinero en realidad no lo tienen. Lo que sí tienen es un buen ingreso y capacidad para gastar en exceso, por ello parece que poseen mucho. Usted se sorprendería al comprobar que algunas personas que viven en enormes residencias no son ricas y, en cambio, otras que sí lo son viven en casas normales y tienen un nivel de vida medio, sin lujos deslumbrantes. La gente con mucho dinero se caracteriza por seguir un estilo particular de vida que le permite acumular y no despilfarrar. Cuando se piensa en millonarios uno imagina a alguien que posee los bienes materiales que todos anhelamos en la vida, sin embargo, la realidad no es así. Es más probable que observe a muchos ejecutivos que perciben buenos sueldos llevando una vida de ricos que a quienes en verdad lo son. Pocas veces vemos a los ricos malgastando su dinero, todo lo contrario; los despilfarradores son los más proclives a mostrar su capacidad de generar dinero. En realidad, eso es lo que los define: son muy buenos para generar y gastar. Incluso es interesante estar cerca de ellos porque pueden sugerirnos lugares excéntricos para degustar la mejor comida de los mejores *gourmets*. Conocen los lugares más exóticos del mundo; no pierden oportunidad de leer en revistas información sobre los lugares más maravillosos que pueden visitar el próximo año. Si usted está leyendo este libro es porque le interesa el tema de cómo acumular riqueza o tener una buena reserva para cuando se retire del mundo activo, o quizá tiene tantas deudas que ya no sabe de qué manera salir de ellas y está buscando una idea mesiánica que lo salve. Lo más importante es que con este libro comprenda la diferencia entre un individuo rico y uno que no lo es. Definitivamente, dicha diferencia no radica en lo que una persona aparenta ser, sino en los hábitos que ha desarrollado para construir su patrimonio. Muchas individuos comunes que tienen buenos hábitos de consumo y de inversión logran al final tener un nivel de vida decoroso, similar o mucho mejor que el que tenían cuando estaban activos. Antes que nada, usted debe comprender quiénes son ricos y quiénes no lo son, y que cualquier persona puede llegar a ser rica si se lo propone e incorpora un estilo de vida que la lleve a acumular y no a derrochar. Lo primero es distinguir entre *riqueza* e *ingresos*. Como señalé antes, aquellos que tienen muy buenos ingresos pero lo gastan todo, probablemente pertenecen al grupo de los que tienen fenomenales ingresos sin riqueza. Esta gente sólo vive bien con lo que el dinero que gana

"cuando se piensa en millonarios uno imagina a alguien que posee los bienes materiales que todos anhelamos en la vida"

> "la diferencia entre un individuo rico y uno que no lo es radica en los hábitos que cada quien ha desarrollado para construir su patrimonio"

mes con mes le permite adquirir. Riqueza es lo que usted acumula, no la capacidad que tiene de gastar cuando va a las tiendas. Día tras día vemos individuos que ganan bien, que llegan a sus compañías en buenos carros hablando del último viaje o del exquisito habano que se fumaron, o de la última compra que hicieron. Parece increíble ver a tanta gente que tiene ingresos buenos pero no tiene riqueza. Me atrevería a asegurar que la mayoría son ricos generadores y pobres acumuladores. ¿Quiere saber si usted es rico? Entonces pregúntese cuánto tiempo podría vivir sin recibir un sueldo. La mayoría de las personas no pueden vivir más que algunos meses y esto no sólo les sucede a quienes tienen sueldos promedio, sino también a aquellos que ganan megasueldos ejecutivos. La gente que piensa como millonaria goza de independencia económica y puede mantenerse por años sin recibir un salario. Las personas que piensan como ricas tienen un modelo de conducta muy diferente del de aquellas que no tienen una mente de millonarios. Las primeras tienen en común varios aspectos que las diferencian del resto de las personas:

1. Son personas que viven con un ritmo de gastos por debajo de su capacidad de ingresos.
2. Tienen un nivel de disciplina, orden y organización personal que les permite saber perfectamente qué hacer con su dinero.
3. Son muy trabajadoras, muy por encima del promedio de la gente.
4. Les gusta lo que hacen en su trabajo o en su empresa.
5. Dedican tiempo a estudiar minuciosamente cómo puede invertir el dinero excedente, independientemente de la cantidad.
6. Siempre están viendo oportunidades de invertir donde los

demás no las ven, sin importar el tipo de trabajo que tengan.

7. Les enseñan a sus hijos cómo hacer dinero y cómo ser económicamente independientes a temprana edad.
8. Su cónyuge los apoya y administran bien los gastos.
9. Su prioridad en la vida es la independencia económica, más que mostrar el dinero a sus amigos.

"cualquier persona puede llegar a ser rica si se lo propone e incorpora un estilo de vida que la lleve a acumular y no a derrochar"

En suma, las personas que piensan como millonarias tienen en común una gran disciplina, constancia, sacrificio personal y trabajo muy duro para lograr acumular año tras año y conseguir su independencia económica. Antes de continuar, usted debería preguntarse si está dispuesto a cambiar el estilo de vida que lleva hoy para lograr su independencia. Si cambia sus hábitos de consumo, sin considerar el sueldo que tenga, usted podrá alcanzar su independencia económica antes de lo que se imagina. El secreto no es cuánto gana, sino cuánto gasta y cómo lo invierte.

Con el tiempo me he dado cuenta de cuán importante es saber comprar y no consumir irracionalmente, o comprar sólo porque nos gusta o está rebajado. Todas las personas que conozco que piensan como millonarias, la mayoría de las cosas que adquieren poseen un valor futuro garantizado. Por ello saben cómo pensar y en qué pensar cuando compran, y lo analizan con mucho detenimiento; no son compradores impulsivos. Muchos ricos tienen pinturas de famosos en sus casas o bien sus esposas adquieren joyas muy lujosas que conservan su valor con el tiempo. Un día, estaba con un amigo israelita en el jardín de su casa disfrutando de una buena comida y comenzó a contarme cómo había llegado a México durante la guerra. Me comentó que en aquellos días tenían, él y su esposa, tres diamantes. Uno les permitió salir de Alemania, con otro pagaron el viaje a México y el tercero lo invirtieron para

"te confieso que tengo una sensible predisposición por todo aquello que pueda recuperar su valor en el tiempo"

iniciar su negocio. "Te confieso —expresó mi amigo con mucha convicción—, te confieso que tengo una sensible predisposición por todo aquello que pueda recuperar su valor en el tiempo, ya que si tengo alguna urgencia ello será mi salvación. Y eso les he enseñado a mis hijos".

Los que tienen mentalidad millonaria, como mi amigo israelita, procuran que lo que compran "sume y no reste". En toda compra importante que no tenga valor de recuperación futura, deberá pensarla dos veces o siempre perderá dinero.

Las personas que piensan como ricos generalmente gastan menos de los ingresos que reciben. No se dedican a adquirir lujos ni van a otro país a comprar ropa de marca sólo porque es más barata. Tampoco usan autos de lujo importados; muchos ni compran autos del año. La mayoría de las personas ricas que piensan como millonarias han vivido durante muchos años en la casa en donde hoy viven; muchos tienen más de veinte años en ella. Generalmente viven en colonias de clase media, y es probable que sus vecinos no tengan ni la tercera parte de la riqueza que ellos han acumulado. En cambio, los que no piensan como ricos aparentan serlo, pues la mayoría tiene carros muy ostentosos o viaja con frecuencia; en general viven con lujos. Estas personas han optado, inconscientemente, por no acumular pero sí gastar disfrutando al máximo lo que les permite su sueldo. Con ello mantienen un estatus social que aparenta estabilidad y éxito. Es común ver que las personas con estilo de vida holgado tienen también hábitos de consumo muy altos.

La mayoría de las personas que piensan como ricos al final terminan siéndolo, puesto que durante toda su vida se apegan a una disciplina que los induce a acumular.

Una historia de éxito

La satisfacción de las compras inteligentes

Hace algunos años, un socio que tenía me enseñó algunas de sus costumbres acerca de como vivir acumulando en aspectos muy simples y cotidianos de la vida. Recuerdo que un día me llevó a ver uno de sus secretos: era un Rólex en un hermoso estuche. Me impresionó ver el reloj tan lujoso, pero más me sorprendió que mi socio, quien no era una persona aficionada a los grandes lujos, comprara dicho reloj. Le pregunté:

—¿Para qué gastaste tanto en un objeto tan lujoso?

—Me encantan los relojes y siempre quise tener uno así. No creas que sólo lo hago por darme gusto y tirar el dinero en algo tan extravagante, sino que cuando compro algo siempre examino si mantiene su valor con el tiempo. Este reloj sí lo mantiene. El dinero que invertí en el reloj jamás lo perderé, siempre podré recuperarlo. Tú sabes que en mi casa tengo ciertas cosas de valor, pero si vendo todas ellas recupero la mayoría del dinero que invertí. Por ejemplo, jamás compro un carro si no analizo y comparo su valor de mercado al venderlo; eso es lo que determina qué carro compraré. Siempre he vivido así, tú me conoces desde hace varios años —me dijo— y has visto que no siempre compro carros nuevos, ya que pierdo 30 por ciento en cuanto los saco de la agencia sólo porque son nuevos. Pocas veces compro cosas caras que no tengan un buen valor de reventa. Observa aquellos muebles antiguos que están en la esquina —me indicó—, pues ésos también mantienen su valor de reventa. Ésa es mi forma de pensar.

mesura

"Más dinero no resuelve su problema si usted tiene una mente consumista".

LA CARACTERÍSTICA QUE MÁS DISTINGUE a los que piensan como ricos es su mesura en los gastos y en la forma en que viven. El pilar de una vida que los lleve a la solidez económica futura es, sin duda, la mesura en el modelo de vida. La mayoría logra la estabilidad económica a los cincuenta años, siempre y cuando sean consistentes con esos hábitos. Lamentablemente, la sociedad de consumo, la televisión y los genios del marketing seducen a un buen número de personas a consumir grandes cantidades de productos. Hoy, las oportunidades para adquirir las maravillosas cosas materiales son innumerables. Los productos son como odaliscas que, seductoramente, atraen las miradas de los sedientos consumidores. Esta facilidad para firmar y luego pagar nos permite caer en un estilo de vida que podemos mantener mientras tengamos los ingresos necesarios. El día en que se acaben, se acaba también la máquina del consumo. Hace tiempo leí una historia del famoso promotor de boxeo Don King, a quien se le atribuye que un día adquirió ochenta pares de zapatos y gastó más de 30,000 dólares. Es muy frecuente ver que personas que ganan mucho con poco esfuerzo gastan de manera incontrolada como si al otro día ya no fuera a haber productos. Nunca veremos a una persona que piensa como millonaria gastar esas sumas en zapatos. El hecho de que usted tenga la capacidad de comprar algo no lo justifica para que adquiera todo lo que le gusta. Las personas que no comprenden el principio de la riqueza se transforman en máquinas de ganar dinero y de consumir productos. El concepto de éxito está estrechamente asociado con la capacidad de compra que alguien tiene, y entonces se dice a sí mismo: "Si no muestras lo que puedes comprar, ¿de qué manera tus amigos van a reconocer tu éxito? ¿Cómo podrá admirarte tu familia por tus logros económicos?" Tal como el jugador inglés David Beckham, que el día del cumpleaños de su hijo de cinco años le compró un diamante para que lo lleve en la oreja y le organizó una fiesta que costó casi un millón de dólares, construyéndole una réplica en madera del castillo en donde viven. O, por ejemplo, Diego Armando Maradona, quien fuera astro del futbol mundial, hoy alega que no puede hacer gastos muy elevados para sus tratamientos médicos debido a sus problemas financieros. Parece imposible imaginar que uno de los mejores ídolos futbolísticos y mejor pagado en aquellos días padezca de liquidez económica. (Su personalidad nunca se caracterizó por la mesura, como sí la ha demostrado el inolvidable Pelé.)

"las personas que no comprenden el principio de la riqueza se transforman en máquinas de ganar dinero y de consumir productos"

no me malentienda

"Si permite que las emociones lo manejen, su riqueza estará fuera de control".

CUANDO ME REFIERO a las mentes que piensan como millonarias, no estoy describiendo a aquellos que no disfrutan de la vida o que sólo viven para acumular y se les dibuja el signo de pesos en los ojos. No estamos hablando del avaro y poco comprensivo Tío Rico McPato, sino de todo lo contrario. Las personas que piensan como ricas saben que es posible gozar la vida y, a la vez, transformarse en una persona con solidez económica. Puedo asegurarle que quienes poseen esta mentalidad saben que es posible lograr su independencia económica a temprana edad, sin importar el salario que perciban. Comprenden que las personas avaras viven de manera limitada, aterradas

Una historia para recordar

Su avaricia jamás lo dejó disfrutar la vida

Conocí a una persona que ha vivido así toda su vida: jamás ha salido de viaje de placer porque —según él— es dinero que se tira; nunca ha comprado algo si no es en tiendas de descuento de poca calidad. Sólo viaja por necesidad, o cuando muere un familiar, pero nunca ha salido con toda su familia a ningún país para disfrutar de unas buenas vacaciones (incluso llegó al grado de comprar una cámper usada para no pagar hotel en sus vacaciones). Siempre ha comido en su casa, o lleva comida a la oficina. Me cuentan que de vez en cuando acudía a una cantina de comida muy barata. Nunca le vi ropa nueva, todo lo que adquiría era para sustituir lo que ya no podía usar por viejo. Cuando comíamos juntos en un restaurante se quejaba del dinero que había gastado. Pensaba que pagar casetas de carretera y gasolina era tirar el dinero y nunca apoyó financieramente a sus hijos, más que en lo básico para sus estudios. En pocas palabras, era un avaro que nunca pudo disfrutar de la vida y, cuando llegó a viejo habiendo acumulado lo suficiente para no trabajar, hoy se siente aterrado por la inseguridad que le produce pensar en morir sin haber disfrutado durante la vida; su inseguridad lo hizo acumular para compensar las debilidades que tenía como persona. Hoy que vive de sus ahorros su ansiedad aumenta, ya que no tiene otros ingresos y a diario siente que consume su dinero en el supermercado. Para él, vivir más años incrementa su ansiedad al pensar que su dinero se reduce poco a poco.

"la libertad emana de poder decidir qué hacer y cuándo hacerlo, y esa flexibilidad sólo la proporciona una vida con independencia económica"

por la inseguridad de perder lo que han acumulado. Para los tacaños el dinero lo es todo en la vida; la inseguridad con que actúan limita su felicidad y son incapaces de disfrutar de momentos de alegría con los amigos y la familia.

Las personas que piensan como ricas no forman parte de este club de acumuladores que compensan de este modo su inseguridad emocional. Aquéllos con mentalidad millonaria, a diferencia de los que no la tienen, comprenden que una vida llena de deudas y adicta al consumo significa entrar en una espiral interminable de dependencia. Las personas cuya mente no piensa en su futura independencia económica son controladas por factores externos, generalmente por instituciones de crédito, bancos y tarjetas de crédito. Quienes piensan como millonarios saben que la independencia económica le permite al ser humano vivir con mayor felicidad y libertad que los que nunca alcanzan su independencia o no se protegen económicamente contra las eventualidades.

La libertad —dicen los que tienen una mentalidad millonaria— emana de poder decidir qué hacer y cuándo hacerlo, y esa flexibilidad sólo la proporciona una vida con independencia económica. Aquellos que no comprenden estos principios de libertad de elección pagan el precio de vivir condicionados por las circunstancias. En realidad, no pueden tomar decisiones porque si prescinden de su ingreso mensual no sabrían cómo mantener el tren de vida que sus ingresos les permiten el día de hoy. Son personas acorraladas por su falta de visión de estabilidad y protección financiera. La decisión de continuar o no en el trabajo que hoy tienen no depende de ellas, más bien está subordinada a sus hábitos de consumo. Son prisioneros que, mes con mes, pagan una renta a través de sus deudas por el "privilegio" de vivir cómodamente en su cárcel de oro. Cárcel de la que ellos son sus propios custodios; lo curioso es que esta prisión tiene una cerradura que se cierra por dentro y el preso ¡guarda la llave en su bolsillo! Es un proceso autoimpuesto que responde a factores externos, como el marketing y la imagen de éxito que se quiere mostrar a los demás. Estas personas con buenos ingresos también tienen grandes deudas que cubrir, por lo que no pueden abandonar la máquina de producir dinero que alimenta al dragón insaciable del consumo, ni tienen el valor de dejar los hábitos de vida a los que se han acostumbrado. Una bola de nieve que se acumula con el tiempo.

el poder de una *visión*

"El hábito de administrar su dinero es más importante que la cantidad que hoy administra".

LAS PERSONAS CON INDEPENDENCIA económica son capaces de visualizar los beneficios futuros que resultan de definir sus objetivos financieros. La mentalidad de los ricos se caracteriza por la visualización y el conocimiento de los mecanismos que garantizan que su objetivo se cumpla; por ello dedican mucho tiempo a planear su futuro económico. Está comprobado que las personas que piensan como millonarias pasan más horas estudiando opciones y buscando información para instruirse que aquellos que no piensan así. La información les permite tomar decisiones mucho más inteligentes acerca del

dinero que quienes no tienen esta mentalidad; estos últimos se han autoconvencido de que uno trabaja para disfrutar lo que gana: "Creo que debo darme mis gustos; para eso me sacrifico trabajando tantas horas al día". Pero también entienden que si quieren gastar más necesitan ganar más. Esto parece obvio pero más adelante, cuando profundicemos en el tema, comprenderá que para los que piensan como ricos todo tiene que ver con la forma en que manejan su dinero, no con la cantidad de ingreso de su empleo.

"las personas que piensan como millonarias pasan más horas estudiando opciones y buscando información para instruirse que aquellos que no piensan así"

disciplina *administrativa*

"En el mundo de la riqueza, el monto de su dinero es proporcional a su hábito de administrarlo".

LAS PERSONAS QUE PIENSAN como millonarias siempre planifican sus gastos. Tienen disciplina en el gasto, puede que algunos no lleven controles muy sofisticados, pero observan siempre ciertos principios que les permiten decidir cuánto invertir, cuánto ahorrar y cuánto gastar. Muchos llevan un control de gastos personales y vigilan no excederse nunca. Llevan los gastos del hogar con bastante disciplina, lo cual incluye un rubro de eventualidades en su plan de gastos.

metas *claras*

"Su dinero crecerá
en forma proporcional
a su forma de pensar acerca de él".

La gente con mentalidad millonaria difícilmente gasta de manera impulsiva o estimulada por el marketing, pero al mismo tiempo tiene una idea clara de las metas que quiere cumplir año con año. Muchos individuos forjan proyectos no sólo para ellos sino para sus descendientes, así que la seguridad de sus nietos también forma parte de su proyecto de estabilidad económica. La mayoría de las personas que no tienen esta mentalidad de millonarios incorporan pocos hábitos para mantener controles, tener objetivos claros y trabajar con disciplina; consumen tanto como sus posibilidades les permiten, porque su mentalidad no está asociada con objetivos financieros y menos con las metas a largo plazo. El corto plazo y el placer inmediato son su modelo de vida. Las personas adictas al consumo no tienen disciplina financiera, pues su modelo de pensamiento consumista los hace suponer que con los ingresos altos que perciben podrán tener más riqueza. Pero el problema no está en su habilidad para generar riqueza, sino en su incompetencia para saber qué hacer con lo que ganan. Es innegable que en nuestra sociedad es más fácil gastar que acumular.

De acuerdo con la actitud de las personas ante el dinero, es posible identificar cuatro grandes perfiles. Sin embargo, debe tenerse en cuenta que existen matices entre estos macroperfiles.

1. Los consumistas. Actúan pensando que el dinero es para pagar sus compras, sus gustos, y que como tienen buenos ingresos, pueden darse ciertos lujos y gastar lo máximo que ellos les permiten. Viven con una apariencia de riqueza, aunque en realidad son esclavos de su adicción al gasto. Son esclavos modernos del siglo XXI, pues no pueden dejar de trabajar porque tienen muchas deudas que pagar. Se aterran cuando las empresas donde laboran entran en procesos de recorte y no sabrían qué hacer con las deudas que tienen, conscientes de que en el mercado hay tan pocos puestos como en el que hoy se desempeñan y la mayoría de las empresas tienden a reducir la nómina de empleados y no a contratar. Tampoco podrían vivir muchos meses sin los ingresos de su trabajo por su incapacidad de ahorro. Por último, no pueden construir riqueza por la sencilla razón de que no tienen excedentes para invertir y crear un patrimonio sólido para el futuro.

"la gente con mentalidad millonaria difícilmente gasta de manera impulsiva o estimulada por el marketing"

2. Los avaros. Consideran que el dinero es el único propósito de su vida. La vida centrada en el dinero no les permite realizar otras cosas, puesto que cualquier diversión es un gasto superfluo. Las vacaciones atentan contra el dinero y no les permiten acumular. Viven con una inseguridad tal que no se dan permiso para disfrutar de la vida; hacen de su existencia un sacrificio, personal y familiar. Su falta de seguridad no les permite asumir riesgos de inversión ni financieros porque creen que pondrían en peligro su estabilidad personal. Sólo acumulan en cuentas de ahorros tradicionales para evitar riesgos.

"los kamikazes piensan en su seguridad económica, pero constantemente arriesgan todo lo que tienen en sus nuevos proyectos"

3. *Los kamikazes*. Los mueve un espíritu emprendedor y son atrevidos en sus inversiones. Piensan en su seguridad económica, pero constantemente arriesgan todo lo que tienen en sus nuevos proyectos. Generalmente, son valientes y seguros de sí mismos. Este tipo de personalidad —con pocos hábitos de administración, poca planeación y sentido preventivo con el dinero— paga al final del camino el precio de vivir con altibajos en su vida financiera. También se incluyen en el ámbito de los grandes consumidores de gran lujo; con un ego acentuado en todo lo que hacen, son también muy buenos generadores de ingresos, pero su mente emprendedora no les permite mantener estabilidad. El futuro de estas personas es tan incierto como las decisiones y los riesgos que toman. Estos sujetos pueden terminar su vida con un patrimonio importante o bien finalizar con muy escasos recursos en su etapa de madurez. Un día tienen mucho y al otro no tienen ni cómo sostenerse; su familia vive también en este torbellino de gastos sin límites.

Su personalidad se asemeja a la de muchos deportistas y artistas que viven una vida de farándula y esnobismo con altos y bajos financieros. Disfrutan la vida con mucha intensidad, y conocen personajes influyentes y los mejores lugares de moda.

4. Los que piensan como ricos. Son personas que creen que se puede acumular riqueza y, además, disfrutarla; que la vida requiere una visión clara de lo que se desea para el futuro financiero. Como tienen claros sus objetivos, planean sus gastos y sus ahorros. Asumen riegos en ciertas inversiones y buscan oportunidades todo el tiempo para incrementar la rentabilidad de su dinero. Estudian y se actualizan en los temas de finanzas. La mente millonaria piensa en la libertad que le produce la estabilidad económica, y busca racionalizar los gastos para incrementar su capacidad de inversión año con año.

Cuatro tipos de actitudes ante la vida y el dinero

Consumista

- El dinero sólo sirve para pagar compras
- Vive aparentando ser rico, aunque rara vez lo es
- Es adicto al gasto
- Está agobiado por las deudas

Avaro

- El dinero es el centro de su vida
- Cualquier diversión es un gasto superfluo
- Su inseguridad no le permite disfrutar de la vida
- No asume riesgos financieros

Kamikaze

- Tiene espíritu emprendedor
- Arriesga todo lo que tiene en nuevos proyectos
- No tiene hábitos de planeación
- Lleva una vida de altibajos financieros

Quien piensa como millonario

- Acumula riqueza y sabe disfrutar de ella
- Tiene objetivos claros; planea gastos y ahorros
- Es estudioso del dinero
- Asume riesgos en inversiones y busca oportunidades

dirija su *vida*

"¿Quieres saber
cómo puedes tener dinero
y ser feliz al mismo tiempo?
Modela tu vida como una obra de arte".

LAS PERSONAS QUE PIENSAN como ricos también tienen una visión diferente de cómo se debe vivir en un mundo donde el dinero es el medio de intercambio que se tiene para todo proyecto (ya sea que quieran retirarse a temprana edad, enviar a sus hijos a buenas escuelas o vivir una vida con paz económica y libertad de elección). La habilidad personal para controlar sus bienes y sus ingresos es una fortaleza para no ser controlados por factores económicos externos y de consumo. La capacidad de decidir con libertad y autonomía, y no estar condicionado por las limitaciones económicas, es un arma fundamental para la vida de una persona que piensa como millonaria.

La mayoría son valientes. ¿Tiene usted la valentía de tomar

> "los millonarios saben que no hay límite para las ganancias, saben que si piensan y actúan inteligentemente pueden generar más"

decisiones de riesgo? Si es así, ello contribuirá a crear su mentalidad de millonario. Asumir riesgos no significa ser irracional y emocionalmente impulsivo. Si cuenta con suficiente información, analiza y busca asesoría financiera, pero sobre todo si está consciente del riesgo que toda decisión lleva implícito, entonces usted puede considerarse una persona que está en el mundo de las oportunidades. En el mundo del dinero existe una relación directa entre los riesgos y la riqueza que usted acumula, ya que las personas que asumen riesgos son buscadores de oportunidades. Las personas que piensan como ricas son arriesgadas en sus empleos y negocios. El riesgo lo corren en la forma en que manejan sus excedentes y sus inversiones. Saben que su riqueza personal depende de ellos y no del salario que perciben, ni del ingreso de su negocio, sino de lo que hacen con el dinero: el balón está de su lado. Saben que su riqueza no está condicionada por el entorno, ni por la publicidad, ni por la apariencia social, ni por el salario; ésa, la riqueza, es una responsabilidad personal que está en sus manos. Por ello los que piensan como millonarios son personas independientes y valientes para asumir el riesgo necesario. Los individuos atemorizados acumulan como lo hacen los topos, pero no obtienen lo máximo que sus ahorros podrían generar. Los millonarios saben que no hay límite para las ganancias, saben que si piensan y actúan inteligentemente pueden generar más, por ello se documentan. Los millonarios son personas que creen en sí mismas y se toman su tiempo para decidir y asumir el riesgo necesario que requiere acumular. En pocas palabras, no son ahorradores que guardan para el invierno, no, ellos trabajan para que sus excedentes sean muy rentables. Saben que en el sólo hecho de ahorrar no hay riqueza.

Otra virtud de los que piensan como ricos es que el *trabajo duro* es una condición natural para sus hábitos de ahorro.

Tríada de cualidades de quienes piensan como ricos

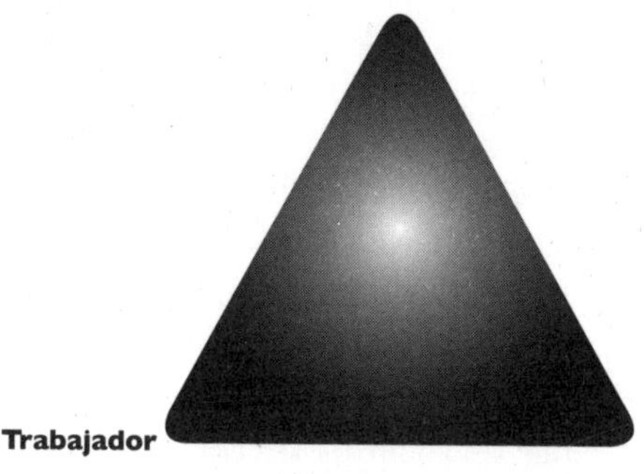

su crecimiento será producto de hacer algo diferente. La repetición estabiliza y es útil por un tiempo, pero si se desea crecer es necesario intentar nuevas opciones. En el mundo del dinero, dada la inestabilidad económica, diariamente surgen instrumentos nuevos que proporcionan oportunidades adicionales acorde al riesgo que se desea correr. Los que piensan como ricos comprenden que ellos mismos son el generador de las oportunidades, no sólo su empleo, por ello su energía para producir está alineada con su proyecto de vida. Es más, creen que parte de su suerte se debe a lo duro que han trabajado y a la enorme cantidad de decisiones tomadas en el movimiento de su dinero.

Las personas que piensan como ricos *son estudiosas del dinero,* casi siempre tienen un consejero financiero que les ayuda a pensar. ¿Cuenta usted con alguien que lo oriente a invertir su dinero? No estoy asumiendo que usted tiene mucho dinero, sino simplemente que tiene excedentes. La cantidad no importa para pensar como

> "si se desea crecer es necesario intentar nuevas opciones"

"las personas que piensan como millonarias son estudiosas del dinero, pero casi siempre tienen un consejero financiero que las ayuda a pensar"

millonario; curiosamente, las personas que han acumulado una gran fortuna jamás iniciaron con un gran capital; la mayoría comenzó sin tener dinero siquiera para ahorrar. Por ello, si usted tiene algún ahorro necesita un asesor financiero. Ellos le ayudarán a disminuir el riego y aumentar las probabilidades de ingreso. Las personas que piensan como millonarias nunca tienen un solo asesor, normalmente eligen varios con quienes puedan comparar sus consejos. Los consejeros pueden ser un contador, un banquero, un abogado, un asesor en seguros, un asesor de bolsa, o un amigo millonario. Es preciso que se construya el hábito de leer y domine lo básico del tema; el mejor consejero es usted mismo si puede tener un juicio racional de la oportunidad que le ofrecen los asesores. De otra forma, será muy difícil para usted tomar la decisión óptima. La mentalidad proactiva de las personas que piensan como millonarias se diferencia del modo de pensar de las personas que se concentran demasiado en evitar los riesgos. Es diferente pensar en ganar que pensar en no perder. Los que van por la vida evitando perder obtienen lo menos que les permiten las oportunidades, ya que el temor hace que condicionen demasiado sus decisiones. Las mentes de los millonarios piensan en ganar buscando asumir una actitud racional para garantizar al máximo su decisión y disminuir las variables no controlables que pueden afectar sus ahorros.

los *millonarios* forjaron su destino

"La riqueza se construye cuando su dinero trabaja para usted, no cuando usted trabaja para su dinero. Es un proceso que se consolida con el tiempo".

NOVENTA POR CIENTO DE LAS PERSONAS que hoy tienen solvencia económica o se hicieron millonarias no heredaron ni se sacaron la lotería. La mayoría comenzó con un empleo modesto, quizá de mensajero o con un pequeño negocio en la calle vendiendo jugos. El secreto para que usted acumule en la vida y tenga solidez económica no depende del ingreso, sino de la forma en que gasta y cómo administra sus excedentes. Su inteligencia financiera es la clave. Usted puede iniciar con diez dólares o menos, lo que importa es la forma en que maneja ese dinero. Crear hábitos de ahorro es importante, pero no suficiente porque el ahorro es

sólo el primer paso para construir su riqueza. No importa si está leyendo este libro sentado en un camión de pasajeros en el trayecto a su trabajo, en su auto o en un avión a Europa; si viaja en primera clase o en turista o está desempleado temporalmente, o si tiene el mejor empleo del país. La realidad en la cual vive actualmente no condiciona su capacidad para acumular riqueza, ni siquiera su futuro económico. Su limitación está en la manera en que hoy piensa. Los ricos de hoy seguramente iniciaron su vida económica sin imaginarse nunca que podían llegar a tal nivel de riqueza. La limitación no está en el poco sueldo que recibe o en el empleo modesto en que trabaja o en el negocito que tiene, sino en la desinformación acerca de cómo se acumula dinero en la vida. Puede percibir un gran sueldo toda su vida y jamás acumular un centavo, ni lograr la seguridad económica que necesita. Puede tener un buen negocio y tirarlo por la borda sin saber que lo está haciendo. Insisto, el problema no radica en el ingreso. Como dirían los especialistas en sistemas, el problema está en su *software,* en el programa con que su mente procesa el manejo del dinero.

> "el secreto para que usted acumule en la vida y tenga solidez económica no depende del ingreso, sino de la forma en que gasta y cómo administra sus excedentes"

Este libro tiene el propósito de ayudarlo a tomar conciencia de los pequeños modelos de pensamiento que debe incorporar en su mente y transformarlos en hábitos de comportamiento que lo dirijan al nivel económico que desea y, por ende, obtener la independencia económica que anhela en la vida. Le aconsejo que resuma los puntos más importante de este capítulo y defina un plan de acción inmediato. Recuerde que postergar las tareas importantes va en detrimento de su estabilidad y seguridad económica.

Consejos para el próximo lunes

1. Que su nivel de vida no exceda sus ingresos.
2. No aparente un nivel socioeconómico mayor para tener aceptación de sus amigos.
3. No sea un rico generador y un pobre acumulador.
4. El dinero debe ser responsabilidad de todos en su familia.
5. Compre aquello que mantenga su valor con el paso del tiempo.
6. Deje de comprar sólo porque tiene el dinero para hacerlo.
7. Construya su visión y los objetivos económicos que quiere para su vida.
8. Incorpore disciplinas que acumulen riqueza, no sólo consumo.
9. Aprenda a administrar eficientemente sus ingresos.
10. Evite hábitos de consumismo emocional que hacen ricos a otros.

CAPÍTULO DOS

¿Es usted una *persona rica* o pobre?

no todo lo que brilla *es oro*

"Nos preocupamos por nuestra salud y por nuestro dinero cuando ya no los tenemos".

JUAN VERDAGUER, un extraordinario cómico de mi época, solía decir: "Antes de empezar a hablar quisiera decir unas palabras". Así que antes de iniciar con el tema de este capítulo, creo que debemos estar de acuerdo, usted y yo, en cómo la sociedad crea un estereotipo de qué es ser rico y qué es ser pobre. Parecería muy obvio, según la sociedad en que vivimos, saber qué individuo es pobre o rico con sólo observarlo. Nuestra sociedad cataloga como pobre a aquel que se transporta en camiones de pasajeros o tiene un automóvil viejo, y como rico al que maneja un carro nuevo o importado. La sociedad nos ha hecho pensar que los ricos frecuentan sitios de ricos como clubes de membresías caras, juegan golf, fuman puros y viajan todo el tiempo. En nuestra sociedad no se necesita investigar demasiado para describir los niveles sociales. Tal vez una opción sería revisar estadísticas de la ONU que señalen cuántos pobres y cuántos ricos hay en el mundo, y ver cómo los categorizaron para dicha estadística.

En el trabajo nos parece fácil definir quién es rico y quién es pobre, ya sea por el salario que reciben o por el tipo de trabajo que realizan. También entre los ricos hay menos ricos, y entre los pobre hay menos pobres; es decir: hay clase entre las clases. Por lo tanto, no se necesita mucha agudeza para definir la pobreza en nuestra sociedad de consumo. Si eres rico consumes y si eres pobre no consumes. Si eres rico vives mejor y si eres pobre vives peor. Los ricos compran ropa importada de marca y los pobres compran en el supermercado.

la *riqueza* no es tan evidente

"El 70 por ciento de las personas mueren sin testamento".

En el apartado anterior se enlistó una serie de estereotipos sociales que pueden llevarnos a un juicio inexacto de la realidad. Se sorprendería usted al descubrir que muchos ricos no aparentan serlo y viven con un perfil bajo, acorde con lo que la sociedad entiende por niveles. Asimismo, muchos que parecen pobres en realidad no lo son, y muchos que parecen ricos están muy pobres. Si lo pensamos bien, la riqueza, en el fondo, no está determinada por lo que observa de una persona, sino por lo que hace esa persona con su dinero. No se engañe con los estereotipos sociales sobre ricos y pobres. Usted es rico si tiene capacidad para acumular dinero y eso frecuentemente nadie lo ve más que usted y su banco. Usted no es rico porque gasta mucho dinero; si, por otro lado, gasta mucho, lo notan todos en su familia, en el club, en el trabajo y en su

vida social. Seguramente habrá tenido la experiencia de conocer a alguien que no parecía muy rico, pero dejó una gran herencia al morir, o habrá observado que ciertas personas que viven sin lujos no se quejan de tener problemas económicos serios. Recuerdo que hace algunos años, en el centro de la ciudad de México, hubo un incendio en una vecindad en donde vivían muchas personas en cuartos humildes. En ese incendio se encontró, en una de las habitaciones, que una anciana tenía el equivalente a 40,000 dólares guardados en su colchón. El caso de esta anciana es una muestra de que la capacidad de ahorro no depende de lo que usted gana, sino de lo que ahorra. Es difícil comprender cómo una persona que vivía en un lugar como ése tuviera tal cantidad de dinero ahorrado, pero le aseguro que hay muchísimos ahorradores de colchón. No importa el monto de sus ingresos, lo significativo es cómo actúa su mente en relación con el dinero. ¿Cuál es la prioridad que el dinero tiene para usted? ¿Cuánto sabe de él? Por ello, muchos ricos que la sociedad identifica como tales están relacionados con lo que gastan, no con lo que ahorran. A muchos de los que socialmente se consideran ricos, los banqueros no les prestarían ni un centavo. Debemos preguntarnos si los que aparecen en revistas como *Hola,* y otras por el estilo, realmente son ricos o son producto de la publicidad. El mundo de lo aparente muchas veces hace creer lo que no es, por lo tanto, el que no quiera ser catalogado por la sociedad como pobre lamentablemente tendrá que gastar lo más posible para no ser juzgado, visto o evaluado según los cánones sociales. En el mundo de lo aparente queda claro que es mejor parecer que ser. Recuerde que su nivel de riqueza sólo lo saben usted y sus gastos. La riqueza no se ve, pero usted siente la tranquilidad de tener un respaldo para construir su seguridad financiera y la libertad de vivir como usted quiere. La gente que piensa como rico entiende que es más importante ser económicamente independiente que estar mostrando siempre su fortuna para ser aceptado o reconocido, y jamás pondría en juego su seguridad financiera en favor de su imagen pública.

vea con *los ojos* de la sabiduría

"La riqueza le permitirá decidir con mayor libertad cómo vivir su vida".

UN DÍA LEÍ EN UN PERIÓDICO la historia de una persona que en Estados Unidos tenía el puesto de boletero del tren que va de Nueva York a Boston. El reportaje agregaba un pequeño "detalle": el boletero era el dueño de la compañía de ferrocarril. Hizo su dinero en Texas prácticamente de la nada y con los años pudo acumular para comprar dicha compañía y otras.

De acuerdo con el mundo de los niveles sociales, se diría que este señor es pobre por el trabajo que desempeña, o por el salario que percibe (el salario lo gana de verdad, según la historia) y por la educación que tiene (cursó nada más la primaria). La riqueza representa un estereotipo social, y no necesariamente es sólo producto del ingreso que recibe. El dinero que usted acumule en su vida será producto de la visión que tenga acerca del dinero, de las oportunidades de inversión que identifique y de las prioridades que tenga en la vida. Las personas ricas ven lo que los demás no ven y están alertas a lo que sucede en el medio; observan constantemente qué decisión deja dinero y cuál no. Esa sensibilidad puede ser innata, pero muchos la desarrollan con el tiempo en cuanto determinan sus prioridades en la vida. Si el dinero no es importante para usted, tampoco tendrá la sensibilidad para identificar las oportunidades que la vida le presente. Usted verá lo que sus intereses le marquen. Algunas investigaciones sobre el funcionamiento del cerebro humano han descubierto que el modelo mental que tenemos acerca de los acontecimientos que vemos es un juicio que surge de la representación que nuestra mente hace del mundo exterior y sus oportunidades. Cuando hacemos un juicio de cierto evento, "lo que vemos no es lo que vemos; lo que vemos es lo que pensamos que vemos". Apenas vemos una oportunidad, nuestra mente le da un significado basado en experiencias anteriores que tenemos registradas en nuestra mente. Significa que indagamos muy poco en el mundo exterior para ver nuevas oportunidades y tomamos nuestras decisiones con esa superficialidad. Cuando usted ve, cree que sabe lo que está viendo porque lo reconoce, pero la realidad es que la mayor parte de la información proviene de nuestro interior, y esto limita nuestro rango de visión de las cosas. Yo creo que si los ratones no vieran solamente el queso como una oportunidad no caerían tan fácil en la trampa, puesto que podrían tener una fotografía global de la realidad y comprender el contexto en que está el queso y no tomar una decisión equivocada. El día en que un ratón descubra cómo funciona su mente sabrá cómo decidir y el mundo se llenará

> "si el dinero no es importante para usted, tampoco tendrá la sensibilidad para identificar las oportunidades que la vida le presente"

de ratones. En el siglo XVII los ingleses descubrieron en China que lavarse las manos antes de atender un herido disminuía el número de muertos. Un concepto muy obvio, pero inadvertido en aquella época. La vida nos ha enseñado que lo esencial es imperceptible a los ojos, que debemos ver con los ojos de la sabiduría. Aquellos que se expresan acerca del dinero como el *cochino dinero* lo culpan de todos los problemas de la sociedad o, "si no existiera el dinero no habría tantos pobres ni guerras". Es fácil suponer la sensibilidad de estos individuos en el manejo del dinero y su interés por acumularlo. Su predisposición determina su interés por algo. Si usted no define sus prioridades en el ámbito económico, seguramente caerá en la trampa del queso o no se lavará las manos para atender los heridos. Por lo tanto, es necesario educar su mente a fin de no dejar pasar las oportunidades. Su mente no sabe que sabe, usted necesita establecer el parámetro de sus prioridades. Algunas personas me dicen que para ellas el dinero sí es importante, pero no saben cómo manejarlo; en realidad están más interesadas en lo que el dinero hace o en aspiraciones emocionales que en aprender sobre el manejo del dinero. Aprender qué hacer con el dinero no tiene costo y muchos banqueros y asesores financieros están deseosos de ayudarlo en su manejo. Sin embargo, algunas personas argumentan que no tienen tiempo ya que trabajan todo el día, esto demuestra el nivel de prioridad por su riqueza.

> "si para usted el dinero y la seguridad económica no son sus prioridades, tampoco lo serán para su mente"

definamos *quién* es rico

"Su habilidad financiera surge cuando transforma su dinero en activos que le produzcan dinero mientras duerme."

PARA LOS OBJETIVOS de este libro, proponemos la siguiente definición de riqueza: "La riqueza de una persona está determinada por la cantidad de días que puede vivir sin ingresos directos de su trabajo manteniendo el nivel de vida que tiene hoy". Los días son un indicador del tamaño de su riqueza. A la mayoría de las personas en este mundo de consumismo les cuesta trabajo responder esta pregunta, porque las confronta con la realidad económica en que viven. Lamentablemente, un gran número de personas no pueden vivir mucho tiempo sin trabajar. Es más, la mayoría

"la riqueza de una persona está determinada por la cantidad de días que puede vivir sin ingresos directos de su trabajo manteniendo el nivel de vida que tiene hoy"

se aterraría con sólo pensar en ello, ya que tiene tantas deudas que no podría dormir si supiera que perderá su empleo la próxima semana. Ochenta por ciento de las personas no pueden vivir más de cinco meses sin trabajar porque los acreedores lo embargarían. Las deudas, y no su salario, es lo que no les permite vivir con lujos. El restante 20 por ciento apenas llegará con el vapor de la gasolina al año sin tener que trabajar. Como hemos afirmado, la riqueza no tiene que ver con lo que usted dispone para gastarlo. Puede ser usted de los privilegiados con megasalarios o tener un salario menor, la riqueza está determinada por su capacidad de vivir sin trabajar manteniendo su nivel actual de gastos. La gente rica vive de su dinero, la gente pobre vive de su salario. La gente rica hace que su dinero trabaje para ella, la gente pobre tiene que trabajar para su dinero. En el libro *El subdesarrollo está en la mente,* Lawrence E. Harrison hace una descripción de cómo pensamos los latinoamericanos acerca de la construcción de la riqueza. Otros sociólogos también han escrito acerca del tema y señalan que en los países desarrollados el dinero se ve como una herramienta, mientras que en los latinoamericanos se considera una necesidad. Así, el manejo de unos y otros es distinto. El manejo de una herramienta tiene una percepción diferente (qué hacer y cómo utilizarla) tal como usamos un martillo o una pinza. Para los latinoamericanos, como el dinero es una necesidad, tiene una connotación emocional muy especial y las decisiones estarán basadas en esa percepción emocional del dinero. Sus hábitos de consumo y de ahorro estarán gobernados por esta percepción.

"en los países desarrollados el dinero se ve como una herramienta, mientras que en los latinoamericanos se considera una necesidad"

Una historia de éxito

Su objetivo era claro: ahorrar para la jubilación

Hace algún tiempo conocí a un hombre que trabajó durante más de treinta años como *concierge* en varios hoteles de la ciudad. Su definición acerca del dinero era clara: debía ahorrar para el día en que se retirara. Un día compró un terreno en una zona que entonces estaba casi en las afueras de la ciudad. A partir de aquel momento todos sus ahorros los destinó a comprar cemento y varilla para construir locales comerciales y rentarlos. Con el tiempo, cuando terminó sus locales, comenzó a construir en el primer piso varios cuartos, también para rentar. Cuando tuvo la edad de jubilarse tenía ya ingresos muy superiores a los que cobraba en ese momento como *concierge*. Para él era más rentable cobrar la renta que ir a recoger su salario. Hoy vive jubilado hace más de quince años ganando mucho más de lo que ganó toda su vida con el salario como empleado de hotel.

Según nuestra definición de riqueza, el *concierge* es rico. Si usted tiene necesidades de 1000 dólares al mes y puede obtener dicho ingreso por la forma en que invirtió sus ahorros, entonces usted es una persona rica. Déjeme ilustrar la idea a través de otra historia interesante:

Una historia de éxito

Boleando, boleando pero alerta a las oportunidades

Era una persona que conocí hace algunos años cuyo oficio era el de bolero en una esquina, cerca de uno de los edificios en donde yo tenía una oficina. Esa esquina era una mina de oro para este señor, pues tenía cinco ayudantes para atender a la clientela. A diario pasaba yo por ahí y llegamos a platicar muchas veces, en una de esas conversaciones le pregunté:

—¿Cuánto tiempo tiene en esta esquina?

—Más de diez años —me respondió, pero también me comentó que tenía dos lugares más para lustrar zapatos, uno en la acera de enfrente y otro a dos cuadras, con un total de doce jóvenes que le ayudaban.

A este señor siempre lo vi bien vestido y además llegaba en un auto Ford Falcon impecable que parecía salido de la agencia. Un día me comentó que había comprado un local a una cuadra de ahí y después, con el tiempo, compró otros dos pequeños locales en la misma cuadra. Luego de un tiempo me mudé del lugar, pero él en ese momento ya era económicamente independiente. Tenía la renta de tres locales que le dejaban más que las tres esquinas pero, conociendo su forma de pensar, estoy seguro de que este señor debe haber comprado varios más por la zona.

Pregúntese; ¿este señor es rico o es pobre? Según los estereotipos sociales era pobre porque boleaba zapatos, pero tenía buenos ingresos y sabía cómo administrarlos. Seguramente hoy vive sin trabajar ganando mucho más de lo que ganaba cuando

"la mente millonaria está centrada en cómo incrementar sus ingresos, independientemente de su salario"

tenía los tres puestos de bolear zapatos. En las dos historias, ambos sujetos tienen la opción de vivir sin trabajar el resto de sus días, por esa razón son ricos. La mente millonaria está centrada en cómo incrementar sus ingresos. Si usted es de los que ganan un muy buen salario, supongamos de 10,000 dólares mensuales, pero gasta 15,000 dólares al mes, sería una persona pobre a pesar de este buen ingreso. Usted es pobre porque:

1. no puede dejar de trabajar ya que gasta más de lo que gana;
2. no tiene capacidad de ahorro, y
3. no tiene excedentes que pueda invertir en instrumentos financieros que le ofrezcan una buena rentabilidad.

Como se imaginará, un salario de este tamaño no se puede comparar con los ingresos del *concierge* o del bolero, pero con todo y ese buen ingreso no puede vivir sin trabajar ni veinticuatro horas. Es esclavo de su empleo porque necesita su sueldo para mantener su nivel de vida. No se confunda: la riqueza o la pobreza no dependen del superautomóvil que trae o si viaja en camión o tiene chofer que maneje su automóvil. Tiene que ver con si usted puede algún día vivir sin trabajar con ingresos iguales o mejores de los que hoy tiene. Lograr la libertad de decidir el momento en el que usted quiere dejar de trabajar es una de las recompensas más gratificantes que puede tener el ser humano, ya que nada lo limita, nada le impone cuándo tomar la decisión de abandonar lo que hace y hacer lo que usted quiera con su vida. Si lo que hace es lo que más le gusta, continúe haciéndolo. El perfil de los millonarios se caracteriza por trabajar en lo que más les gusta. Mi abuelo decía: "si trabajas en lo que te gusta no sientes que trabajas".

Si quiere pertenecer al mundo de los ricos vaya haciendo la

cuenta de cuánto tiempo puede vivir sin trabajar. Si la respuesta no es la que usted aprendió en este capítulo, comience a pensar qué debe cambiar en sus hábitos para poder iniciar el camino de la independencia económica invirtiendo sus excedentes. Recuerde: elimine de su mente que la riqueza siempre está asociada a tener buenos sueldos o ingresos altos; no, su riqueza depende de los millones que tenga invertidos. Además, comprenda que la riqueza se puede lograr con casi todos los niveles de ingreso si usted tiene claro para qué quiere el dinero y cuál es su proyecto en la vida. A partir de esa definición podrá diseñar los planes de cambio mental necesarios para construir su riqueza personal y acumular.

> "lograr la libertad de decidir cuándo dejar de trabajar es una de las recompensas más gratificantes que puede tener el ser humano"

actividad

Realice el siguiente análisis

¿Cuánto gana?	¿Cuánto gasta al mes?	¿Cuánto tiene ahorrado?	¿Cuánto tiempo puede vivir sin su salario?
$____	$____	$____	Tiempo:____

¿usted se *endeuda* o invierte?

"Lo que importa no es cuánto dinero gana usted, sino cuánto dinero invierte".

Lo INVITO A QUE HAGA UNA pequeña cuenta. Escriba en un papel el monto total de todo su dinero en el banco y súmele lo que ha invertido en bienes (no incluya lo heredado). Después, divida la suma total entre los años que ha trabajado. El resultado será la cantidad de dinero por el que ha trabajado cada año de su vida hasta hoy. El resto se lo comió, lo derrochó, se esfumó o se lo fumó. Si quiere saber cuál fue su ingreso al mes, sólo divida el total anual entre doce, el resultado le dirá por cuánto dinero trabajó cada mes todos estos años (véase el siguiente esquema):

Mi dinero ahorrado	+	bienes	=	suma total	÷	años trabajados	=	total	÷ 12 =	total mensual
$_____	+	$_____	=	$_____	÷	$_____	=	$____	÷ 12 =	$_____

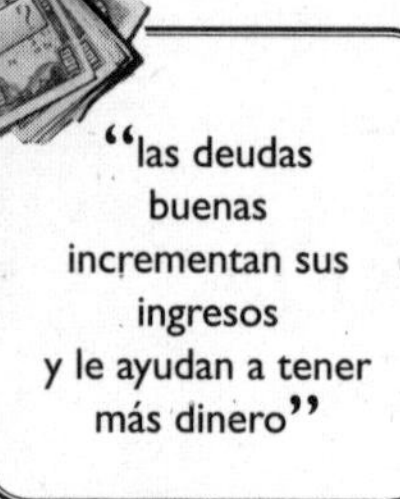

> "las deudas buenas incrementan sus ingresos y le ayudan a tener más dinero"

Si ya hizo la cuenta, ¿qué le parece el total? ¿Mucho o poco? Si le parece muy poco, debe leer este capítulo varias veces. Déjeme ponerle un ejemplo. Si todo su capital acumulado es de 100,000 dólares y ha trabajado durante diez años, significa que usted ha trabajado todos esos años por 10,000 dólares al año, independientemente de si su salario anual hoy es de 30,000 dólares. Si sus cifras lo entristecen, no se sienta tan mal, hay individuos que tienen saldo negativo y otros estarán leyendo algún libro como el mio en la cárcel por no haber pagado sus deudas.

La forma en que usted maneja sus deudas le permitirá identificar si gasta o acumula. Muchas personas no pueden lograr su independencia económica, porque llevan arrastrando enormes deudas por años. Es interesante descubrir la semejanza entre la salud física y la salud económica, pues tanto los malos hábitos alimentarios como los malos hábitos financieros terminan arruinando a cualquiera. La mayoría de los seres humanos padecen sobrepeso, pero tener sobrepeso y edad avanzada es más riesgoso. Peor aún es tener sobrepeso, ser viejo y estar quebrado financieramente. Muchos tienen colesterol alto y no se dan cuenta hasta que es muy tarde. Algunos ya tienen hipertensión, otros podrán tener un ataque al corazón y otros más pueden morir. Eso mismo sucede en las finanzas. No nos damos cuenta de nuestro problema financiero hasta que tenemos muchas deudas. Para sanear las venas del "colesterol financiero" padecemos muchos problemas porque el crédito se cerró, como el colesterol cierra las venas, y podemos tener un infarto financiero.

Así como hay colesterol bueno y colesterol malo, en el mundo de las finanzas también hay deudas buenas y deudas malas. Usted debe hacer un análisis del tipo de deuda que regularmente contrae para saber si algún día podrá ser rico o no.

¿deuda *buena*?

"La incapacidad para diferenciar los tipos de deuda que contrae lo empobrece"

La deuda buena no nos mata, al contrario, siempre es conveniente tener alguna deuda buena. Por ejemplo, si usted compra un departamento y pide un crédito para adquirirlo y luego lo renta. Si la renta de ese departamento paga la deuda del banco más los gastos, entonces usted contrajo una deuda buena, ya que acumula bienes sin invertir un centavo; el departamento se paga solo y su dinero trabaja para usted y no usted para el dinero. No usa el dinero que tiene hoy invertido. Si usted compra un terreno a crédito y luego lo renta o lo usa como negocio de estacionamiento y los ingresos que obtiene de ello son más altos que los pagos que le debe al banco, usted adquirió un deuda buena. Los ingresos de esta inversión pagan su deuda y no usted. El

secreto radica en no usar su dinero, sino el del banco. Existen deudas que se consideran buenas por su impacto en el tiempo. Por ejemplo, si usted pide un crédito para estudiar una carrera o para estudios de especialización, éste tendrá una ganancia para usted, pues al terminar sus estudios podrá aspirar a un sueldo superior. Toda deuda que pueda servirle para obtener un beneficio adicional se considera deuda buena, es decir, la contrae para incrementar sus bienes o sus ingresos usando un dinero que no es suyo, sino del banco. Por ejemplo, si usted contrae una deuda para poner un negocio, está corriendo un riesgo que no lo tiene con los bienes raíces, así que debe buscar asesoría para analizar la viabilidad del negocio y no ponerlo sólo porque su cuñado se lo sugiere. Si el negocio es exitoso, habrá acumulado riqueza sin haber tocado su dinero. Quienes contraen deudas para comprar un taxi y trabajarlo o para tener uno en mejor estado, están contrayendo una buena deuda si hacen un análisis adecuado de costo-beneficio. Las deudas buenas sirven para que usted se haga de bienes que le darán más dinero que la deuda contraída. Como por definición las deudas buenas incrementan su riqueza, si usted no adquiere este tipo de deudas, su crecimiento financiero será más lento.

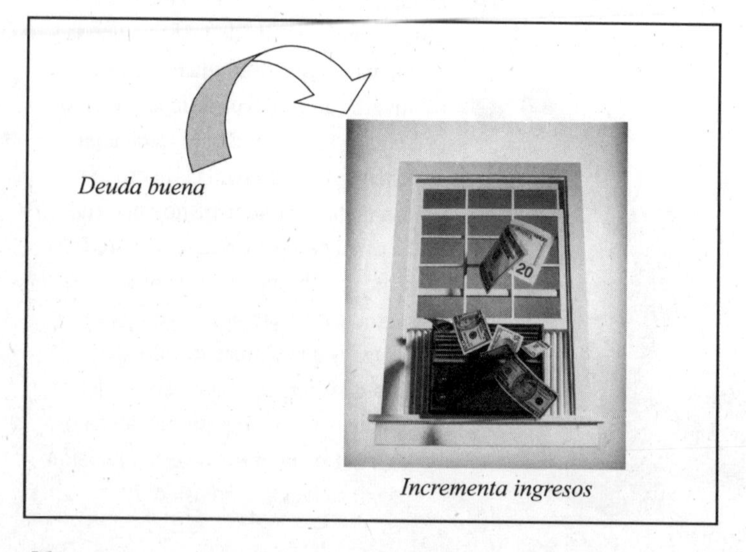

Algunos dicen que no contraen deuda porque es menos riesgoso, pero no olvide que cero colesterol también es dañino para su salud. Siempre debe tener algo para que su organismo funcione correctamente. Lo mismo pasa con las deudas buenas, ellas le ayudarán a incrementar sus ahorros y aumentar sus bienes si hace inversiones inteligentes. Si usted hace inversiones sin estudiar los riesgos y comete errores, ya no importa si la deuda es buena o mala. El problema es que uno siempre pagará las consecuencias de las tonterías por tomar decisiones sin buscar consejos de expertos, o no hacer estudios de viabilidad, o un análisis racional de riesgos potenciales. En suma, si usted quiere ser rico, un recurso importante será contraer deudas buenas para incrementar sus ingresos.

deuda *mala*

"El millonario promedio maneja un auto que no es del año pagado de contado"

LA DEUDA MALA SE CONTRAE para adquirir productos no esenciales, es decir, todo lo que signifique un exceso. Si usted tiene un carro y compra uno nuevo sólo porque es más bonito y, además, tiene suficiente dinero y lo puede pagar, entonces ésa es una deuda mala. Está contrayendo una deuda para comprar algo que no era necesario, pero le gustó y puede pagar esa cuota. En realidad, se lo compró para darse un gusto, no para incrementar sus bienes; sólo por comprarlo nuevo perdió 30 por ciento y jamás recuperará ese dinero. Pagará seguro y tenencia más caros. El fisco, la

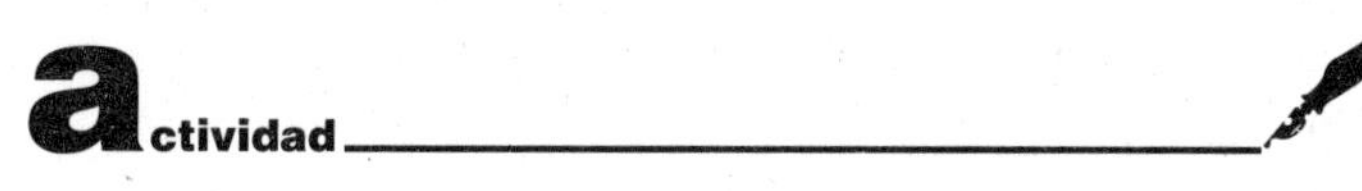

Analice las deudas buenas y deudas malas que usted tenga.

DEUDA BUENA:

____
____
____
____
____

DEUDA MALA:

____
____
____
____
____

agencia y su ego se lo agradecen, pero no su cuenta bancaria. Un carro nuevo no es un activo que acumula riqueza, sino todo lo contrario, se deprecia año con año. Dentro de las deudas malas están incluidas nuestras mágicas tarjetas de crédito. Cuando abren su billetera muchos tienen un acordeón de tarjetas, como si fueran un poder de compra superior. Los fanáticos de las tarjetas de crédito son tan adictos como alguien podría serlo de la cocaína. Si usted paga el saldo total de su tarjeta cada fin de mes, entonces es un buen financiamiento. Las tarjetas de crédito son un instrumento que uno tiene que pagar anualmente al banco para renovarla y que el banco nos cobre y gane. Increíble, ¿no cree? ¿Yo me pregunto por qué tengo que pagar la renovación? A los seres humanos se nos hace natural pagar para tener derecho a consumir. Las deudas malas son producto del impulso emocional por comprar sin prever las consecuencias. Si usted es de las personas emocionales que se dicen a sí mismas que compran porque se lo merecen después de trabajar tanto, o compra cuando se siente deprimido y necesita una dosis de "afecto material", entonces será una víctima de las deudas malas. Si no tiene control de sus gastos, fácilmente caerá en las deudas malas. Si compra con tarjeta sólo porque algo está de rebaja y piensa que si no lo aprovecha ya no lo va a conseguir, entonces incurre en una deuda mala. Si usted compra un carro para trabajar, se transforma en una deuda buena. Mucho más buena si compra un carro del año anterior y no pierde dinero con la depreciación que significa sacar un carro nuevo de agencia. ¿Recuerda que en el primer capítulo le comenté que las personas que piensan como millonarias casi nunca compran un carro del año aun cuando puedan hacerlo? Los compradores impulsivos compran automóviles del año sólo por el olor a nuevo. Es una sensación maravillosa que justifica el sobreprecio, pero cuando lo termine de pagar después de varios años seguramente tiene que comprarse otro. Las deudas malas integran todos los préstamos que pedimos para las próximas fiestas, tales como las de 15 años de su hija, que se siguen pagando por muchos años, la renta de carros, cambios frecuentes de muebles, comprar paquetes de vacaciones de viaje ahora y pague después y, en general, todos los artículos que tienen una gran depreciación cuando los adquirimos. Como podrá darse cuenta, las deudas malas son producto de los hábitos de consumo que muchos no pueden contener. Si después de conocer este principio de las deudas malas usted continúa con sus hábitos, debo recordarle que estas deudas disminuyen: *a)* su capital; *b)* su efectivo y su capacidad de ahorro, y *c)* su capacidad de tener excedentes para poder invertir. En síntesis, las deudas malas son un gasto y lo vuelven más pobre. Si a pesar de estas aclaraciones continúa en el consumismo excesivo con deudas malas, le recomiendo que visite a su terapeuta.

Con este capítulo espero haberle dado suficiente información para que defina si es rico o pobre. También, que la riqueza o la pobreza en que vive hoy ha sido consecuencia de sus decisiones, es más: la riqueza o la pobreza es producto de su forma de pensar, de sus hábitos de consumo, de sus hábitos de inversión y de su inteligencia para tener deudas buenas o acumular deudas malas. Para tener deudas malas no se necesita mucha inteligencia, lo único que necesita es mucho impulso emocional y necesidad de reconocimiento personal. Para adquirir deudas buenas, necesita pensar y definir una estrategia fría, calculada, llena de sentido común. Después de este capítulo podrá determinar si la dirección de su vida seguirá por el camino de la pobreza o por la senda de la riqueza. Es un proceso que nace de su interior, ya que le exige cambiar sus hábitos y su manera de pensar acerca del dinero y la riqueza. Insisto en lo que se ha mencionado varias veces: ser rico no depende de sus ingresos, depende de lo que para usted significa el dinero y de la prioridad que tienen en su vida la estabilidad y la seguridad económica futura, y a partir de ahí construir sus decisiones financieras.

Consejos para el próximo lunes

1. Para acumular dinero ¡necesita estudiar!
2. El dinero debe tener un lugar preponderante en su mente si desea tener riqueza.
3. Su dinero debe trabajar veinticuatro horas al día para usted.
4. Mantenga controles estrictos de sus gastos en tarjetas de crédito.
5. Calcule cuánto tiempo puede vivir sin el ingreso mensual que hoy tiene.
6. Tome decisiones financieras racionalmente, asesorado y en calma.
7. Aprenda a diferenciar los tipos de deudas que contrae.
8. Acumule deudas buenas, reduzca las deudas malas.
9. Deje de comprar cosas sólo por ego, vanidad o estatus.
10. Que no lo engañen sus emociones con seis meses sin intereses. ¡Piénselo antes!

CAPÍTULO TRES

Los *enemigos* de la riqueza

pensamientos que *limitan* su riqueza

"Ahorrar no es comprar algo con descuento".

SI USTED DESEA BAJAR DE PESO, lo primero que debe hacer es decirle a su médico que le gusta comer en la cama viendo la televisión y tiene debilidad por los postres, o que los domingos no se pierde los partidos de futbol por televisión provisto de suficiente cerveza y *pizza*. Si usted quiere adelgazar lo primero que debe hacer es cambiar sus hábitos alimenticios. Debe admitir que tiene un problema con los pasteles y la comida chatarra. En cuanto al futbol, no lo cambie, seguramente bajará de peso tras la euforia de ver ganar a su equipo favorito. Lo que debe hacer es identificar al enemigo y los obstáculos que habrá de vencer para adelgazar. Como en este caso, tener la intención de ahorrar sin que reconozcamos primero las barreras que nos han impedido hacerlo sería una actitud inmadura y engañosa de nuestra parte. Cuando uno analiza los obstáculos de la falta de riqueza siempre concluye que proceden de la forma de pensar y los hábitos de consumo. Las siguientes excusas son las más frecuentes de por qué no ahorramos: "No me sobra dinero para ahorrar porque estoy lleno de deudas", "Las matemáticas nunca han sido mi fuerte", "Ya tengo suficiente con mi trabajo como para sentarme a evaluar mis finanzas", "El dinero es un tema que jamás he dominado", "Siempre he tenido dinero y me gusta comprar", "Todo lo que gasto es para mis hijos y en eso no voy a escatimar", "Las cosas cada día están más caras y la vida más difícil, por eso no ahorro", "Trabajo tanto que necesito descansar y darme mis gustos", "Que sea lo que Dios quiera". Podríamos hacer una extensa lista de excusas de por qué las personas no ahorran, que por sí sola abarcaría un libro completo. De acuerdo con un estudio realizado en la temporada de fin de año, sólo 30 por ciento de las personas ahorran en esas fechas, a pesar de que la mayoría declaró haber ganado dinero extra como parte de su aguinaldo o de una caja de ahorro. El resto de las personas no pudieron ahorrar porque tuvieron que destinar su dinero a los gastos propios de la época, como cenas, regalos, fiestas, viajes, ropa, etc. Pero no nos engañemos: los seres humanos no ahorramos ni construimos una riqueza personal por razones externas, el 90% es consecuencia de nuestras actitudes personales.

> "en asuntos de dinero jamás piense: 'Que sea lo que Dios disponga'"

Durante años he observado que los obstáculos más comunes y dañinos para nuestra salud financiera son:

Desconocimiento. Nadie nace sabiendo cómo manejar sus finanzas, sin embargo, muy pocos buscan la forma de adquirir dicha información. La mayoría de las personas han sido educadas en carreras universitarias para producir dinero al ejercer sus profesiones, pero nunca nos instruyeron sobre cómo administrar nuestros gastos a lo largo de nuestra vida profesional. Millones de individuos salen muy temprano por la mañana a las calles de la ciudad, apresurados por dejar a tiempo a sus hijos en la puerta de la escuela y llegar al trabajo para producir algo que no saben cómo manejar. Lo único que sabemos es cómo gastar nuestro sueldo incorrectamente, al caer en las garras de las ofertas. Existen muchos buenos ingenieros, contadores, abogados o médicos, profesionistas inteligentes pero ignoran cómo construir su estabilidad financiera. Cada semana es lo mismo: correr de un lado a otro y trabajar ansiosamente para terminar el viernes exhaustos por algo que no saben administrar y que, dado el cansancio acumulado, no quieren ocuparse en aprender cómo hacerlo de manera correcta. La educación nos hizo profesionales en un área pero ignorantes de lo que vamos a producir con nuestro esfuerzo en el trabajo durante toda la vida. Por ello muchas personas admiten que si perdieran el trabajo no sabrían cómo cubrir sus deudas. Estudiar acerca del dinero debiera ser una obligación. Si usted quiere ser delgado, debería estudiar acerca de los buenos hábitos alimenticios. Si quiere viajar, le convendría leer sobre el lugar que va a visitar. Asimismo, si quiere hacer dinero, debe estudiar acerca del dinero. Después no se queje que no se lo advertí.

Falta de objetivos claros. Tal como mencioné al inicio del libro, la razón que me motivó a escribirlo es que los líderes que conozco no son pobres y manejan su dinero con los mismos principios con que administran su empresa. Un líder aprende con los años que los objetivos claros dirigen las conductas de las personas hacia resultados. Quienes no saben cómo acumular dinero no tienen metas claras acerca de su vida financiera. Cuando se tienen objetivos bien definidos nuestra mente, de manera instintiva, crea un plan para alcanzarlos preguntándose: ¿cómo lo lograré?, ¿qué debo hacer? La mayoría de las personas ricas que he entrevistado indican que sus hábitos de ahorro iniciaron a temprana edad, entre los veinticinco y treinta años. Han ahorrado a lo largo de su vida activa. Sin embargo, casi todos los mortales ¡han gastado toda su vida! La ausencia de objetivos financieros claros sume a las personas en el consumo a corto plazo y las lleva a responder emocionalmente a las manipulaciones del marketing y de la publicidad. No hay una visión que gobierne sus decisiones, y entonces las determinaciones de corto plazo justifican sus conductas.

> "el rigor de la disciplina y el autocontrol es un principio en la vida y en las finanzas"

Falta de una buena administración. Los líderes saben que una correcta administración de los recursos es la clave de su éxito. El sano manejo del presupuesto es su responsabilidad. La esencia del cumplimiento de sus metas financieras es la disciplina administrativa. Las finanzas de quienes no tienen esta disciplina administrativa están dirigidas por los gustos, antojos o necesidades del momento; rigen sus gastos por lo que creen necesitar en el momento en que pasan frente a un producto. No tienen un presupuesto semanal o mensual que administre el gasto. Muchas personas admiten que nunca hacen listas de compras para el supermercado; casi nadie lleva consigo una calculadora para ir sumando lo que compra. Si usted tiene esta indisciplina lo primero que le aconsejo es no ir al supermercado sin haber comido antes. Ir al supermercado con hambre hace que usted compre todo lo que se le antoja. Sin controles y con hambre no hay tarjeta que soporte ese gasto. El rigor de la disciplina y el autocontrol es un principio en la vida y en las finanzas. Pero el desorden y la falta de controles anulan su aspiración de riqueza.

Desconocimiento del manejo de créditos. En el mundo de hoy todos los banqueros están deseosos de que usted acepte una nueva tarjeta de crédito. Lo más fácil en la vida es tener una tarjeta de éstas. Disponer de líneas de crédito. Hacernos creer que tenemos respaldo con el crédito. Ése es su objetivo.

Recuerdo que hace algunos años en México un banco lanzó una

brillante publicidad para promover sus tarjetas de crédito que decía: "Todo con el poder de su firma". Una eficaz campaña publicitaria orientada al ego y la autoestima del ser humano: ¡el poder en sus manos!. Las tarjetas de crédito van directo al corazón, a que usted se sienta importante. La publicidad apela a factores emocionales. Si no fuera así, con dos tarjetas resolvería su necesidad de crédito para las compras de su hogar; no hace falta más.

Un buen número de personas no lleva un control del gasto de sus tarjetas, y si a esto le adicionamos los tres factores analizados anteriormente (el desconocimiento, la ausencia de objetivos claros y la falta de una buena administración), el coctel es suficiente para hundir financieramente al Titánic.

No olvide que en el capítulo anterior hablamos del daño de las deudas malas, que se suman también al paquete de hábitos de consumo perniciosos. En una encuesta que realizó la revista *Forbes,* 75 por ciento de los cuatrocientos millonarios que selecciona cada año declararon que la forma natural para construir riqueza es mantenerse libre de deudas malas.

Ningún millonario declaró que se hizo rico gracias a los puntos que le regalan en la tarjeta de crédito Los millonarios, como hemos dicho siempre, han vivido gastando menos de lo que ganan, pagando en efectivo y liquidando el saldo total de su tarjeta mes tras mes. Jamás pagan el mínimo. Y no creo que ésta sea una tarea imposible para nadie.

La imposibilidad está en cómo eliminar las deudas que hoy tenemos, producto de nuestra indisciplina y de nuestro desconocimiento, asunto al que me referiré en otro capítulo. No crea en las mentiras de aquellos que quieren enriquecerse a costa de su trabajo o terminará en la pobreza lleno de deudas.

"las deudas malas se suman también al paquete de hábitos de consumo perniciosos"

Usted debe manejar su flujo de efectivo tal como los líderes manejan sus empresas. Todo líder sabe que el *cashflow* es la sangre que alimenta todo el aparato administrativo de su empresa. Mantener un balance inteligente entre ingresos y egresos es el secreto. Dirija usted también su vida financiera teniendo un control estricto de sus egresos y no se endeude irracionalmente.

> "el secreto en el futuro será que usted desarrolle la capacidad de sustituir el placer inmediato por un mejor control de su dinero, y ello demostrará su madurez"

Urgencia por hacerse ricos. Como antes mencionamos, el error de gran parte de las personas radica en la ilusión de que ganar mucho permite comprar mucho, lo que supone que acumulamos riquezas mediante la adquisición de cosas. Esta concepción errónea del dinero hace que la gente compre todo lo que puede sin importar si las cosas se deprecian fácilmente o no. Recuerde que en el primer capítulo le hablé de un amigo que compró un Rólex y su filosofía de comprar todo aquello que mantuviera su valor en el tiempo. Es decir, cosas que no se deprecien y que conserven su valor de reventa. La mayoría de las personas en esta sociedad de consumo estilo microondas acumulan todo lo que se les ponga enfrente. Los consumistas tienen un sentido de gratificación inmediata. Esto significa ganar lo más posible en el corto plazo y gastarlo de inmediato en todo aquello que les guste, incluso antes de que tengan el dinero para pagarlo. Gracias a ello surgió el recurso de anticipar la gratificación a través de la tarjeta de crédito. Esta cultura nos enseña a vivir para disfrutar el momento: "¡Yo quiero eso! ¡Me gustó!", gritamos por dentro, y rápidamente sacamos la tarjeta como vaqueros del Viejo Oeste para disparar tarjetazos a discreción sobre todo aquello que se nos atraviese. Estos compradores compulsivos exprimen hasta la última gota de la pobre tarjeta. Cuando éramos niños decíamos lo mismo a nuestros padres: "¡Yo quiero eso!", y entre gritos y llanto armábamos un teatro en la tienda. La tendencia a comprar llevados por la emoción se multiplica debido a que estamos educados en el consumo estilo

"la ley de Parkinson dice que toda actividad se expande hasta llegar al máximo tiempo disponible"

microondas. El secreto en el futuro será que usted desarrolle la capacidad de sustituir el placer inmediato por un mejor control de sus impulsos, y ello demostrará su madurez. No deje que las emociones lo gobiernen. Recuerde que la casa, el auto y los muebles que tiene no son suyos. Usted sólo los administra y los disfruta por un rato. Lo único que puede administrar son propiedades. Si la urgencia gobierna su mente es muy probable que viva por encima del nivel social que su sueldo le permite y contraerá más deudas. El dinero se rige por la ley de Parkinson, que sostiene que toda actividad se expande hasta llegar al límite máximo disponible. Es decir, si usted tiene una hora para terminar su trabajo hará lo posible por concluirlo en ese tiempo. Pero si sólo dispone de treinta minutos seguramente terminará el mismo trabajo en el lapso disponible. ¿No le ha pasado tener que levantarse, bañarse y vestirse en la tercera parte del tiempo que regularmente utiliza? Es posible, ¿verdad? Muchos seres humanos aplican esta ley de Parkinson con su dinero. Utilizan el límite máximo del dinero disponible para gastar. Y sólo eso. El ser humano es un animal de costumbres, por lo tanto, siempre adapta sus necesidades a la disponibilidad de sus ingresos. Por ello deberá usted aprender a autorregularse si quiere tener excedentes para una mayor estabilidad financiera. No olvide que "el poder de dominarse a sí mismo es el principio de la prosperidad".

"el principio de dominarse a sí mismo es el principio de la prosperidad"

Resumen de los obstáculos para una buena salud financiera

Obstáculos	*Conductas que impiden a las personas tener una buena salud financiera*
Desconocimiento	• No están educadas en el manejo de sus finanzas. • Gastan incorrectamente su dinero. • Son adictas al consumo.
Falta de objetivos	• No manejan su dinero con los mismos principios con que administran su empresa. • No tienen un plan que los oriente hacia los resultados. • Carecen de hábitos de ahorro. • Suelen ser consumidores irreflexivos o más fácilmente manipulables por la publicidad.
Carencia de una buena administración	• No se ajustan a su presupuesto disponible. • No tienen disciplina administrativa. • Sus finanzas están dirigidas por gustos o necesidades del momento. • Nunca llevan listas de compras al súper.
Incapacidad para manejar créditos	• Gastan más de lo que ganan. • Poseen más de dos tarjetas de crédito. • Compran con tarjetas de crédito y sólo pagan su saldo mínimo. • No llevan un control del gasto de sus tarjetas. • No mantienen un balance inteligente entre ingresos y egresos. • Se endeudan irracionalmente.
Urgencia por hacerse rico	• Piensan que la riqueza es sinónimo de acumulación de cosas. • Compran todo lo que se pueda sin tomar en cuenta si los bienes se deprecian o no. • Consideran que las tarjetas de crédito son una llave mágica para sus deseos. • Tienden a comprar llevados por la emoción.

¿cómo *se gana* usted la vida?

"Las personas con independencia económica son más felices que las que no se protegen económicamente".

ADEMÁS DE LOS PUNTOS anteriores que identificamos como los enemigos de nuestra riqueza, hay otros factores que debemos considerar. La forma en que usted se gana la vida determina la cantidad de riqueza que acumula o pierde por no comprender los principios que rigen las profesiones que tenemos para ganar dinero. Tanto el modo en que usted maneja su vida personal como la manera en que comprende su actividad para ganarse la vida resultan clave para establecer una estrategia que le permita acumular dinero y transformarse en una persona rica.

En este mundo hay muchas formas de ganarse la vida, pero las más tradicionales se encuentran en el ámbito de la honestidad y son aceptadas por todos en la sociedad. Podríamos sintetizar diciendo que usted puede ganar dinero con ciertos actividades básicas, que son: empleado, profesionista, comerciante o inversionista.

Si observa usted bien, de las actividades que enuncié la única en la que somos dependientes es la de empleado, las demás pertenecen a actividades independientes donde usted es su propio jefe. Sin embargo, la mayor parte de los seres humanos trabajan en una relación de dependencia, donde alguien nos contrata para hacer un trabajo. Como la necesidad de seguridad forma parte básica de la naturaleza humana, buscamos primero un trabajo y después, si sentimos que no hay peligro, nos arriesgamos a poner un negocio o a trabajar por nuestra cuenta.

Parecería que necesitamos un periodo de tiempo para acumular seguridad y disminuir la incertidumbre del riesgo, puesto que la mayoría de la gente decide independizarse después de varios años de trabajo. Pocos se lanzan a la alberca sin pensarlo para luego ver cómo les va. Todas las actividades mencionadas son formas muy buenas de ganarnos la vida, pero pueden llegar a ser muy malas e incluso convertirse en nuestros enemigos si no pensamos correctamente.

Describiré mi criterio de cada una de las actividades con el propósito de que cada lector reflexione acerca de su situación actual.

¿empleado?

"Cuando le aumenten su sueldo
no ajuste su nivel de vida al nuevo ingreso".
¡Ahórrelo e inviértalo!.

RECUERDO QUE CUANDO YO ERA PEQUEÑO mis padres me decían que debía estudiar para que consiguiera un buen trabajo y me transformara algún día en un ejecutivo importante. A todos mis amigos les decían lo mismo. Es decir, mi generación fue formada con la idea de que debíamos conseguir un buen trabajo; ése era el objetivo. Lo interesante es que mis padres esperaban que consiguiera un trabajo en una compañía importante para que tuviera futuro. En mi época las compañías grandes siempre gozaron de una imagen de solidez y estabilidad. Uno podía imaginar su futuro trabajando en

una empresa de ese tipo. Más aún si era una empresa trasnacional, con un concepto de mayor expansión y solidez. Toda empresa que mostrara estabilidad era una buena empresa para trabajar. Lo curioso es que cuando evaluábamos en qué empresa íbamos a trabajar no sólo se ponderaban el sueldo y las prestaciones, sino que también se analizaban las condiciones de la jubilación para cuando nos retiráramos, es decir, aún no habíamos conseguido el trabajo ni habíamos sido aceptados y ya nos preocupábamos por que tuviera buenas prestaciones para el retiro veinticinco años después. ¡Increíble!, ¿no cree? Había que hacer una exhaustiva evaluación para asegurarse la vida. A uno lo educaban para ser empleado; no pensábamos en otra cosa más que en conseguir un empleo. Lo sorprendente es que hoy continúa siendo así. En el fondo lo que buscamos es un trabajo seguro. ¿De dónde surgió la idea de que las empresas nos dan seguridad? Sin duda alguna, del gran crecimiento industrial del mundo a principios del siglo XX, cuando las empresas crecían de manera consistente diseñando nuevos productos para el consumidor, lo cual daba una gran estabilidad a la organización. Si nos remontamos a la época de la posguerra, el crecimiento industrial, producto del desarrollo tecnológico utilizado en el conflicto bélico y luego aplicado a la creación de equipos domésticos, revolucionó nuestros hogares. Pero si analizamos la situación desde la perspectiva del crecimiento de la humanidad iniciado en la época agrícola veremos que el ser humano ha evolucionado en tres grandes ciclos. De la agricultura pasó a la etapa industrial y de ésta, a la era de la información. Cuando el ser humano pasó de la etapa agrícola a la industrial 90 por ciento de los agricultores dejaron de serlo. En la actualidad no más de 10 por ciento de las personas en todo el mundo se dedican a la agricultura y producen la comida para el resto de la gente. La tecnología industrial creó un nivel sin precedente de desempleo dado su alto impacto en la industrialización agrícola. ¿Se imagina usted lo que ahora puede suceder con los empleos a causa del acelerado desarrollo de la tecnología actual en el mundo?

Seguramente el nivel de desempleo que provocará la transición de la era industrial a la tecnológica resultará dramático en los próximos años. Algunos futurólogos piensan que puede ser mayor a 90 por ciento de la fuerza de trabajo de los agricultores. La nueva era del conocimiento requiere de empleados especializados. Peter Drucker, el mayor pensador de la administración de nuestro tiempo, afirmaba: "La contribución más importante de la administración del siglo XX fue haber incrementado cincuenta veces la productividad de las personas que trabajaban en la manufactura". Según sus predicciones, en el siglo XXI la administración necesitará incrementar la productividad en forma semejante al nuevo trabajador de la era del conocimiento. Lo que sucedió, dice Drucker, es que los bienes más valiosos de la era industrial del siglo XX fueron las máquinas y los equipos. En el siglo XXI el bien más valioso serán los trabajadores con conocimientos orientados a la productividad y la ejecución de resultados.

La tecnología está automatizando tanto los procesos que en poco tiempo los trabajadores se dedicarán a pastorear máquinas inteligentes con escasos obreros manuales. En los próximos años el futuro tecnológico dejará en la calle a muchos trabajadores que no podrán sumarse a esta nueva era de alta tecnología.

Las reflexiones de Drucker revelaron que la seguridad en el trabajo es un recurso del pasado. El día de hoy no hay lugar más inseguro que un empleo. A diario leemos en los periódicos noticias sobre la reducción de empleos ya sea por el desarrollo tecnológico, por la globalización, por la competencia de los chinos o porque tenemos un nuevo acuerdo de libre comercio que elimina los impuestos a los productos importados. Muchas empresas no pueden sobrevivir con tanta competencia. El cambio generacional ha modificado la percepción del empleo. Los jóvenes de hoy tienen una idea del empleo muy diferente de la que existía en la era industrial. Antes las

"el día de hoy no hay lugar más inseguro que un empleo"

personas querían pasar muchos años en un mismo puesto porque ello les daba seguridad; con tanta experiencia, ¡nadie podía hacer su trabajo mejor que ellos! Hoy, si un joven pasa mucho tiempo en un mismo trabajo piensa que la rutina lo vuelve obsoleto o mediocre. Antes las personas ascendían a otro nivel jerárquico por el tiempo que llevaban trabajando; de acuerdo con la ley, les correspondía el puesto superior, es decir, ascendía quien tenía más años en la empresa y no el más inteligente. Hoy los jóvenes no desean invertir muchos años en una empresa para tener un buen puesto. Quieren llegar a ser gerentes y directores en muy poco tiempo. Antes las personas esperaban retirarse de la empresa después de veinticinco años de trabajo. Hoy a los jóvenes no les interesa la jubilación ni que sean premiados por haber invertido tantos años en esa empresa. En otras palabras, la transitoriedad en un trabajo es hoy la regla del juego. Aquellos que buscan estabilidad en el empleo para tener seguridad económica no están entendiendo el mundo en que viven. Por esta razón quise explicar dichos procesos de cambio en que viven las organizaciones y su empleo. Hoy la seguridad en un empleo no la dan los años que uno lleva en la empresa sino los conocimientos que se tienen y la capacidad tecnológica para atender las necesidades de la empresa y del mercado. Usted puede tener veinte años trabajando en una empresa y es probable que sea el primero que la nueva administración piense en sustituir por alguien que tenga una mentalidad más moderna. Debido a todos estos cambios es necesario que usted vea su trabajo bajo la misma dinámica del entorno. Tendrá seguridad mientras produzca buenos resultados. Si aprende cómo hacerlo se salvará; si no, tendrá que irse o, mejor dicho, lo echarán en cualquier momento.

El empleo produce buen dinero si se sabe manejar. El trabajo es un recurso que usted tiene para producir dinero y realizarse profesionalmente. El salario difícilmente podrá hacerlo rico, pero la forma en que usted lo administre sí. No olvide que nuestra definición de riqueza está dada por la cantidad de días que alguien

"más dinero no resuelve el problema sino todo lo contrario, más dinero lo esclaviza si tiene mente consumista"

puede vivir sin ingresos directos de su trabajo manteniendo el nivel de vida que tiene hoy. Así que todo aquel que no dependa de su trabajo para mantener sus gastos diarios es rico. Pensar que los aumentos de sueldo resuelven su objetivo de riqueza es un error de percepción. Como la mayoría de las personas han sido educadas en un mundo consumista, no bien les aumentan su salario automáticamente piensan que pueden gastar más que antes. Por lo general la gente piensa: "Voy a estar mejor a partir del próximo mes porque me ascendieron y ganaré más". A los que piensan así les recuerdo que hace muchos años el doctor Laurence J. Peter, reconocido por la llamada teoría de la incompetencia de Peter, dio a conocer otra interesante teoría del dinero conocida como teoría de la revelación financiera de Peter: "Después de un aumento de sueldo, tendrás al final de cada mes menos dinero del que tenías antes". Esto revela que el problema financiero de la mayoría de los seres humanos no radica en el sueldo. Mientras tengamos una mente educada para consumir no habrá solución para nuestro problema de riqueza. Quien desee resolver su problema económico no necesita aprender cómo ganar más sino cómo gastarlo mejor o invertirlo correctamente. Más dinero no resuelve el problema sino todo lo contrario, más dinero lo esclaviza si tiene mente consumista. Lamentablemente hemos sido educados con la mentalidad de que más dinero significa que podemos gastar más y no más capacidad de inversión. No bien recibimos un aumento estamos pensando qué deudas vamos a pagar y qué nos vamos a comprar con lo que sobre, ¡no cómo vamos a invertir nuestro dinero!

Más dinero resuelve temporalmente el problema para que luego caiga una vez más en el círculo vicioso.

Las personas que mejor logran sacarle jugo a su empleo son aquellas que lo conciben a través de una visión estratégica.

Y conozco varios ejemplos de ello que corresponden a cuatro tipos de empleados, los cuales describiré enseguida.

Hay un grupo de empleados en las empresas a quienes llamo "los errantes". Ellos han comprobado que cambiar de empresa con cierta frecuencia ha sido la clave de su éxito profesional, puesto que les ha permitido escalar puestos. Este tipo de empleados casi siempre tienen como asesor a una buena agencia de colocaciones de las que se conocen como *Head Hunter,* para que les busquen oportunidades en el mercado. Muchos juran que su crecimiento profesional en las organizaciones se debe a la planeación del *Head Hunter* durante los últimos diez años. Esta relación simbiótica con un experto en buscar buenos puestos ha sido el motivo de su éxito profesional. Planean juntos el crecimiento para los próximos años, así como la rotación por diversos tipos de empresa. Muchos han podido acumular importantes sumas de dinero con este modelo errante, puesto que han ido escalando en las empresas y mejorando sus ingresos en cada negociación.

Otro perfil que he encontrado en las empresas ha sido el de "los boinas verdes", quienes han demostrado ser excelentes productores de resultados. Con una gran capacidad de trabajo logran sacar adelante los objetivos de su área mediante un pequeño grupo de dos o tres colaboradores con los que se entienden perfectamente. Este tipo de empleados con un perfil emprendedor buscan trabajo en compañías con problemas serios de crecimiento, las analizan con sumo cuidado y realizan buenas negociaciones de bonos por crecimiento. A menudo condicionan su contratación a la necesidad de integrar en el equipo a sus colaboradores leales de muchos años, en los que confían ciegamente. Estos empleados enérgicos y emprendedores por lo general se ubican en áreas comerciales, de producción, de finanzas y hasta en la dirección general. Logran crecimientos espectaculares en las empresas y son bien conocidos en el medio. Pero también se caracterizan por su temporalidad: máximo cinco años, aunque lo normal es un periodo de tres a cuatro años, puesto que no bien hacen crecer las ventas o nivelan financieramente a la empresa tienen que migrar a otra con los mismos problemas que tenía la primera.

Tanto los errantes como los boinas verdes logran importantes crecimientos de sus ingresos en cada cambio. No esperan, como mucha gente, que el aumento de sueldo del próximo año salve su situación financiera. Operan exactamente al revés, son productores de resultados que definen estratégicamente su carrera empresarial en lugar de esperar que su esfuerzo les haga justicia. He observado que aquellos que planean estratégicamente su carrera de empleado también planean su retiro con mucho cuidado y negocian muy bien su salida de la empresa.

El tercer perfil de empleado que he identificado en las empresas es el de "los trepadores". Este tipo de empleado ha decidido crecer dentro de su empresa. Para ello desarrolla una serie de habilidades que le permiten ascender a un nuevo nivel en cuanto las oportunidades se presentan o ellos las crean. El empleado con esta estrategia no niega su parentesco con los primates, que son unos extraordinarios trepadores. Quienes pertenecen al perfil de los trepadores buscan las oportunidades para escalar a un nuevo puesto. Por ejemplo, una de sus estrategias es buscar un padrino que los patrocine. Trepan por la liana de su padrino y si éste no es el elegido todos los que están en esa liana se caen y pierden su oportunidad de crecer. Pero inmediatamente buscan un nuevo padrino. Tienen una extraordinaria habilidad camaleónica para sobrevivir a todos los cambios y alinearse con el nuevo jefe. Viven vigilando que nadie sobresalga demasiado en el grupo y pueda convertirse en un candidato para su jefe. Son como los ciclistas del Tour de France: cuando van en el pelotón vigilan que nadie *se escape y tome la delantera.* No quieren que nadie más que ellos vista la camiseta de líder. Defienden todos los símbolos de poder para que tengan buena imagen, la cual cuidan como la joya de la corona. Buscan que su oficina esté cerca de la de su jefe superior. Preferentemente en el mismo piso.

Cuando este modelo de empleado resulta bueno para llevar a

cabo su plan estratégico, logran transformarse en artistas de la supervivencia. Siempre salen airosos de las crisis de las empresas, de los recortes de personal y de las luchas sangrientas por el poder. Crecen dentro de la empresa y a los cuarenta y cinco o cincuenta años logran los puestos más preciados, por lo que terminan su carrera bien llevada con mucho éxito. Son artífices de su propio destino, y aunque les queden algunas cicatrices producto de tantas batallas, el resultado final vale la pena.

El cuarto perfil de empleado que he identificado en las empresas es el de "los cuidadores del hueso". Quienes tienen este perfil ven su trabajo como una actividad para vivir y cubrir sus necesidades. Por lo pronto hacen las cosas bien, se alinean, son institucionales. Su objetivo en el trabajo es que les paguen por lo que hacen, no esperan mucho más de ello porque, según su percepción, lo que tienen no es más que un empleo.

Defienden su puesto como perros a su hueso. Puede que se quejen de que la empresa los debería reconocer más o les debería pagar mejor, pero su objetivo final es el salario del mes. Muchos son leales y fieles a la empresa o a sus jefes y sobreviven porque hacen bien su trabajo.

Su vida económica está supeditada a que la empresa les otorgue un mejor salario el siguiente año o a que les den un mejor puesto con el tiempo. Son buenos ciudadanos que trabajan y cubren las necesidades de su familia. Algunos de estos empleados flotan, por lo que se les llama "palos muertos", y van donde los lleve la corriente.

El puesto que desempeñan es más un medio de vida que un medio de realización o de creación de riqueza. Nunca pensarán en hacerse ricos sino en tener seguridad en el trabajo para que esto mismo garantice la seguridad de su familia. No les interesa tener muchas más responsabilidades o compromisos adicionales, sólo trabajan bien porque lo único que cuidan es su trabajo. De acuerdo con la mentalidad de este tipo de empleados, un sindicato nunca les viene mal para que les defienda su *hueso*.

"las empresas están deseosas de tener gente que mejore sustancialmente sus resultados"

Si alguien se acerca a olfatear su puesto, gruñen más fuerte.

Le aconsejo que usted también considere que cuida su empleo como un buen hueso, valga la ironía. Piense en la opción de planear estratégicamente su carrera como empleado, tal como lo hacen los casos que describí anteriormente.

Nunca deje en manos de nadie su crecimiento profesional. No espere que un jefe se fije en usted o que la empresa reconozca sus esfuerzos, usted debe controlar su destino financiero. No delegue una responsabilidad que es suya y de nadie más. No permita que con los años la frustración lo envuelva por la injusticia de un joven que acaba de ingresar a la empresa y toma un puesto superior, o que la empresa no reconozca su desempeño, o que se estanque porque su jefe y usted no hacen química. No olvide que las empresas están deseosas de tener gente que mejore sustancialmente sus resultados. No basta con ser eficiente, asistir siempre al trabajo, entregarse en cuerpo y alma a la empresa, ser leal y honesto.

La bolsa de valores considera el valor de las acciones de una empresa por los resultados que ésta obtiene. Por ello es muy importante su desempeño. Cualquier contribución directa que usted haga para optimizar los resultados será siempre bien vista. No viva esperanzado a que la química con su jefe determine su crecimiento económico. Su vida y sus finanzas son demasiado importantes como para dejarlas en manos de otros.

Le aconsejo que en el futuro también seleccione el tipo de actividad que habrá de desempeñar, y que prefiera sobre todo aquellas que tengan un impacto importante en la empresa. En las organizaciones hay actividades que producen y otras que son de apoyo. Hay áreas que gastan y otras que producen dinero. En este contexto, hay puestos que cuando las cosas se hacen bien no se notan, pero cuando salen mal todo el mundo se entera y lo regañan como si siempre se equivocara.

Si su puesto pertenece a las áreas de sistemas, de logística y distribución o de finanzas, que tienen característica de notarse mucho cuando se cometen errores, busque dentro de ellas actividades en las que su esfuerzo e inteligencia personal se noten mucho. Los esfuerzos se perciben cuando alguien mejoró algo, aumentó la productividad, redujo los costos o incrementó los resultados.

Ubíquese siempre en actividades donde su esfuerzo sea evidente y reconocido, no sólo por su jefe. Que sus resultados sean visibles para varios ejecutivos de la empresa. No olvide que tales resultados son puntos que se suman a su favor. El hecho de que sus éxitos y contribuciones nunca pasen inadvertidos es fundamental para su desarrollo.

Cualquiera que sea su perfil de empleado, debe considerar que el secreto de su riqueza radica en desarrollar la mentalidad de inversionista de sus excedentes, puesto que en su calidad de empleado usted es de las personas cautivas que más pagan impuestos y poco o nada podrá deducir. Tener un plan adecuado de inversión de sus excedentes permitirá acelerar el proceso de acumulación de riqueza que le permita obtener su independencia económica.

¿profesionista independiente?

"Nadie se hace rico
a menos que haga ricos a otros".

LOS PROFESIONISTAS QUE VIVEN de su conocimiento tienen una serie de ventajas muy grandes, pero también muchas desventajas. Conocer con detalle estos factores es imprescindible para usted, puesto que ello determinará su capacidad para aprovechar las oportunidades y minimizar las limitaciones que le han impedido construir su riqueza personal.

Las personas independientes hacen lo que quieren con su tiempo y trabajan en lo que les gusta. Son dueños de sus propias decisiones y se realizan profesionalmente hasta el límite de sus ambiciones o capacidades. Tienen lo que la mayoría de las personas anhelan de un trabajo: hacer lo que más les gusta en la vida con total libertad. Son personas que viven de lo que saben, haciendo el trabajo ellas mismas. Es decir, si se muere el profesionista se mueren los ingresos. Muchos deciden ser independientes no bien se gradúan en la universidad, sobre todo si son médicos, abogados u odontólogos.

> "las personas independientes son dueñas de sus propias decisiones y se realizan profesionalmente hasta el límite de sus ambiciones o capacidades"

Tal como mencioné en el capítulo anterior, en la universidad nos enseñan a ser profesionales de nuestra actividad para trabajar y ganarnos la vida en ello. Lamentablemente se olvidaron de enseñarnos cómo administrar el dinero que íbamos a ganar durante toda nuestra vida. Es decir, el médico, el abogado y el odontólogo seguramente no tienen una idea clara de cómo llevar sus cuentas básicas, excepto si sus padres les enseñaron porque la universidad nunca consideró el tema económico como una prioridad para su desarrollo. Extraño, ¿no cree?

Si usted es profesionista independiente, pregúntese cuánto sabe de inversiones y de administración personal de su dinero. El profesionista tiene la oportunidad de acumular más dinero que un empleado, primero porque tiene la oportunidad de deducir fiscalmente gastos que no podría como empleado, y segundo porque sus ingresos están en relación directa con la cantidad de clientes que atendió en el mes, es decir, si trabaja más, tendrá más ingresos.

Pero si usted es consumista, no tiene disciplina en sus gastos y no sabe cómo ahorrar o no lleva el control de los costos en su negocio, perderá las ventajas de esta actividad y no podrá invertir sus excedentes y ser económicamente independiente para llegar a ser rico.

Ahora veamos algunos de los aspectos del perfil del profesionista independiente que pueden limitar su capacidad para construir riqueza. El conocimiento de estos factores es la clave para desarrollar hábitos que minimicen el impacto que puedan tener en su crecimiento económico.

Factores que limitan la capacidad del profesional independiente para construir riqueza

Primero:	Debe considerar que los honorarios profesionales nunca crecen al mismo ritmo que la inflación, lo que sí sucede con los productos. Esto es, si la inflación es muy alta, sus ingresos se verán disminuidos significativamente. Deberá entonces trabajar más para tener la misma capacidad económica que tenía antes de la inflación.
Segundo:	El servicio que prestan no es repetitivo a largo plazo. Como no se genera dependencia en todos los clientes, es preciso buscar más clientes. En otras palabras, puesto que el número de clientes tiende a disminuir con el tiempo, también descenderán los ingresos. Si su reputación mejora con los años —un proceso que suele ser lento—, se acortará la curva de crecimiento natural de su profesión.
Tercero:	Es difícil crecer en su mercado diversificando los productos, debido a que tanto su producto como su especialidad son únicos. La unicidad de su producto o servicio limita su capacidad de ampliar su mercado satisfaciendo varias necesidades en un mismo cliente.
Cuarto:	Los clientes no tienen una relación de dependencia que los obligue a recurrir siempre a usted, sino que su servicio puede ser sustituido fácilmente por otro. Esto le afecta en las fluctuaciones de los ingresos mensuales exigiéndole una excelente calidad en el servicio.
Quinto:	Su negocio es muy dependiente de usted como persona. El cliente tiene confianza en usted y no en su ayudante. Significa que toda la carga de trabajo recae en usted y hace difícil su capacidad de delegar funciones en otros y multiplicar esfuerzos ilimitadamente.
Sexto:	No puede atender más clientes que los que el tiempo le permite. Un médico no puede atender más que un paciente a la vez. Un abogado sólo puede atender un caso a la vez y un dentista hacer una ortodoncia a la vez. Usted tiene un límite de ingresos porque tiene un tiempo finito para realizar su trabajo.
Séptimo:	No puede actualizar el precio de los productos porque no tiene inventario. El inventario es su conocimiento y no puede actualizar su valor cuando quiera. La actualización de sus ingresos está regulada por la cantidad de clientes, que pierde al incrementar sus honorarios.
Octavo:	Cuando un profesionista toma vacaciones también las toma su bolsillo. Todo el tiempo que usted tome vacaciones estarán cerradas sus fuentes de ingreso.

Como puede observar, los profesionistas tienen que dominar varios aspectos si quieren construir riqueza, de lo contrario estarán atados de manos. De acuerdo con los ocho puntos que describí, parecería que la profesión tiene más limitaciones que oportunidades, pero no es así. Muchos profesionistas han comprendido con los años que también pueden pensar como empresarios para crear una infraestructura adicional que les permita obtener ingresos adicionales.

Por ejemplo, los abogados que piensan como empresarios se diversifican en otros servicios que pueden realizar a través de otros y crean una economía de escala muy productiva, puesto que sus costos de operación son muy bajos.

En el caso de los médicos, cada vez son más los que incursionan en el mundo de los negocios al crear clínicas que les permiten aumentar sus ingresos sin que sea necesaria su participación directa. Los odontólogos también han abierto sus empresas mediante la creación de clínicas dentales y la contratación de los servicios de otros. Tanto médicos como odontólogos se dedican también a la importación de productos de uso médico, odontológico u hospitalario, todo lo cual implica la creación de una estructura comercial. De esta forma, los profesionistas que logran pensar como empresarios han podido disminuir la dependencia de su profesión y multiplicar su economía.

La ventaja indiscutible de los profesionistas independientes es el bajo costo de operación de sus servicios, puesto que el capital está en su mente. Aquellos que alcanzan un buen volumen de ventas por medio de su negocio y de su actividad profesional logran acumular suficiente capital para garantizar su solidez económica.

A pesar de los avances de los profesionistas en el terreno empresarial o comercial, su mentalidad requiere de todas formas de un proceso de aprendizaje para incorporar las habilidades empresariales. Ello, como usted bien sabe, no es rápido ni fácil.

Aunque muchos profesionistas han logrado acumular su riqueza sin abrir ningún negocio, los cambios en la economía del mercado día con día crea una presión que requiere buscar nuevos caminos. Le aconsejo que piense en aprender a desarrollar un negocio produciendo a través de otras personas. De esta manera multiplicará su esfuerzo.

Existen profesionistas que tienen la habilidad para desarrollarse como una marca. Es decir, que son buenos para construir su nombre y hacerse famosos. Algunos ingresan como presidentes de asociaciones, otros incorporan en su currículum conferencias que imparten o toman cursos de especialización en varias partes del mundo. Hay quienes han fundado institutos con los que han incrementado su imagen.

La construcción de *su marca* es un factor muy importante para que usted pueda tener una reputación que le permita cobrar honorarios más elevados. La fama es el principio con que se construye una marca, y ésta será el factor que lo diferencie en el mercado y le permita cobrar por encima del promedio. Para eso debe construir una estrategia de su marca igual que hacen los mercadólogos con un producto. No olvide que en el fondo "usted es un producto", puesto que vende su tiempo ante sus clientes o pacientes.

Otros profesionistas deciden, de manera estratégica, seleccionar el segmento más lucrativo de su profesión y a eso se dedican. De esa forma incrementan las probabilidades de mejorar sus ingresos.

Muchos profesionistas me han confesado que la edad y las canas les han ayudado a ganar más dinero, aunque también reconocen que ésa es la época en que quisieran trabajar menos.

He observado que los profesionistas son personas muy trabajadoras y dedicadas, pero también las que más adolecen de una cultura financiera. Recuerde que el dinero es una herramienta que debe manejarse como tal y que usted, como profesionista, actúa a nivel intelectual y no en el mundo de las herramientas. Cuando un profesionista muestra una mentalidad financiera ello no es muy bien visto por sus clientes, que no dudarán en calificarlo como mercantilista o metalizado.

Como profesionista debe tener un tacto muy fino en sus aspiraciones económicas para que no sea juzgado negativamente ni se arriesgue a perder clientes. Debo alertarle que la indisciplina financiera de un profesional independiente es letal para construir su patrimonio. La dependencia tan directa de su profesión vuelve más frágil su habilidad para acumular riqueza.

Aprenda cómo ahorrar, invertir y diversificar sus inversiones en instrumentos financieros; ello le ayudará a construir su seguridad a largo plazo, así como una educación en habilidades de administración y dirección de su empresa.

No piense sólo en su crecimiento profesional, sino también en su crecimiento económico mediante el desarrollo de habilidades financieras y empresariales. Si usted me ha seguido hasta aquí, comprenderá que para ello deberá luchar contra sí mismo, pero el esfuerzo bien vale la pena sin importar la edad que usted tenga.

"aprenda cómo ahorrar, invertir y diversificar sus inversiones en instrumentos financieros; ello le ayudará a construir su seguridad a largo plazo"

¿comerciante?

"Las personas que piensan como ricas inventan formas para hacer dinero".

SI USTED TOMA CONCIENCIA del mundo en que vive, se dará cuenta de que la mayor parte del tiempo es atendido en su vida diaria por una persona que tiene un negocio pequeño.

Si toma un taxi, éste es el primero de la mañana; si luego pide un capuchino, también; si come en una cafetería, lo mismo. Podríamos enumerar miles de comercios que atienden nuestras necesidades diarias y que fueron creados por una persona que decidió probar suerte en el mundo de los negocios.

A esto se le ha llamado el mercado de las PYMES. Últimamente se ha subclasificado en micro, pequeñas y medianas empresas, mejor conocidas como MIPYMES. Se dice que 99.7 por ciento de los establecimientos pertenecen a este sector de negocios. Las estadísticas revelan que 95.7 por ciento de los negocios son microempresas. También, que 90 por ciento de las actividades empresariales están a cargo de pequeñas empresas.

Este tipo de negocio nace de forma espontánea, incluso hasta accidentalmente. ¿Cuántos pequeños comerciantes y empresarios conoce usted que decidieron abrir un negocio porque habían perdido su empleo? Seguramente muchos, incluso en su familia.

En mi caso, conozco a varios jóvenes mensajeros que han trabajado para mí en los últimos años y que luego se han transformado en comerciantes o pequeños empresarios. Por ejemplo, uno de ellos decidió ir a probar fortuna a Estados Unidos y luego de trabajar en una gasolinera decidió poner un negocio de venta de lubricantes y aceites para automóviles. Otro inició un negocio de limpieza de vidrios y hoy tiene una empresa dedicada al aseo de oficinas. Otro se formó como fotógrafo y hoy tiene un negocio de fotografía y video para fiestas y modelos. E incluso hay uno que creó su propia religión y hoy tiene más de veinte iglesias con pastores que leen la Biblia.

Como usted ve, he tenido muchos mensajeros que han resultado buenos para los negocios.

Una de las mayores cualidades de los buenos comerciantes es que les guste el comercio, es decir, que estén convencidos de que comprar y vender es un buen negocio, que tener una tienda es un buen negocio y que jamás desisten.

Tengo un buen amigo que es propietario de muchas tiendas. Cuando alguna de ellas no funciona, lejos de cerrarla busca qué productos se necesitan en esa zona para colocarlos ahí. Como ve, este amigo es un convencido de que los negocios son un buen negocio, sólo debe encontrar el producto indicado.

La norma que hace crecer rápido un comercio que apenas inicia es tener un buen producto y una buena ubicación. Lo cierto es que nadie que tenga un negocio regresa a ser empleado por decisión propia; si lo hace es porque perdió todo su dinero en el intento, pero sólo para volver a intentarlo nuevamente. Los negocios

Una historia de éxito

El comercio es siempre una ventana de oportunidades

Hace poco andaba curioseando por uno de esos mercados que se ponen en las calles. Me puse a conversar con un joven que vendía joyas y relojes, y entre otras cosas le pregunté si no pensaba estudiar una carrera para no dedicarse sólo a vender en el mercado. Me comentó que era abogado, pero que los salarios en su profesión son tan bajos que ganaba más vendiendo joyas.

—Tengo veintitrés años y viajo tres o cuatro veces al año a China para comprar mercancía de joyería y relojes. Los traigo a México, declaro la mercancía en la aduana, pago mis impuestos y aquí los vendo.

Al preguntarle cómo había descubierto esa forma de hacer dinero me contestó:

—Llevo seis años viajando a China. Primero iba con mi papá y a partir de los dieciocho años viajo solo y traigo la mercancía. Es un buen negocio porque también les vendo a tiendas, no sólo aquí.

Este joven abogado ya está en el camino del progreso, ¿no cree usted?

---

requieren tanto de las habilidades del profesionista independiente como de las del empresario. No es ninguno de los dos, pero tiene las ventajas de uno y de otro. Sobre todo, es dueño de su tiempo y puede manejar su dinero con mayor libertad, así como deducir muchos gastos que le permitan tener más utilidades que si permaneciera como empleado cautivo pagando el máximo de su nivel de impuestos.

Curiosamente, todos los países del mundo estimulan a los que quieren arriesgarse en la independencia con estas ventajas impositivas. Las naciones cada día tienen menos posibilidades de proporcionar un empleo a los jóvenes recién egresados de las universidades.

Si usted es un buen observador, habrá notado que en los países europeos los jóvenes egresados suelen manifestarse en las calles en demanda de la creación de empleos. Creer hoy que usted tendrá empleo cuando egrese de la universidad es una utopía y una lectura equivocada de la tendencia que tiene el mundo en nuestra época.

Cada día vemos más jóvenes profesionales manejando taxis o camiones, o vendiendo productos por Internet.

Hace unos meses fui a impartir una conferencia a una empresa; al mediodía nos ofrecieron una comida en el jardín. Noté que los meseros respondían a las órdenes de un joven de aproximadamente veinticinco años que traía una buena camisa blanca y un delantal del mismo color con un gran logo en el centro, de color rojo y azul, que representaba un sombrero de chef y debajo la leyenda *Gourmet Paris*. Me acerqué a este joven que parecía nervioso y con los ojos alerta a todo cuanto sucedía a su alrededor, y nos pusimos a platicar. Me comentó que había iniciado el negocio hacía un año, cuando regresó de cursar una maestría en administración de negocios en París. Como no conseguía un buen trabajo, según sus propias palabras, decidió probar suerte con el negocio de la comida porque le gusta la cocina.

Este joven ha iniciado su propio negocio con la idea de crear una empresa que proporcione servicio de comidas a las empresas y lugares públicos donde se realizan actos deportivos y de recreación, mediante el empleo de camiones que son restaurantes rodantes muy bien equipados. "Donde haya una oportunidad de reunión de un grupo, hay una oportunidad para mí", dice convencido. Desde luego, no descarta tener algún día su propio restaurante *gourmet*.

Me pregunto si en mi juventud me habría atrevido a decirle a mi padre que luego de gastar su dinero en costear una maestría en administración en París, me dedicaría a servir comidas.

Seguramente se habría indignado. Pero hoy el horizonte de los jóvenes es diferente y está cada día más en los negocios. No se confunda... ¡El negocio está en los negocios, no en el empleo!

> "el horizonte de los jóvenes es diferente y cada día está más en los negocios"

Si usted es aún muy joven, le recomiendo que se prepare, que busque un empleo en un comercio, un restaurante o un negocio de compraventa de productos. Aprenda a comprender este mundo, no espere a terminar su carrera universitaria o técnica para decidir qué va a hacer de su vida. ¡Jamás haga eso, sería ya muy tarde! Pagará caro buscando sin gran éxito y por muchos meses e incluso años un empleo, y terminará aceptando cualquier cosa, menos lo que usted quiere. Terminará como empleado de alguien que sí entendió cómo poner un negocio.

He aquí un chiste muy conocido acerca de las profesiones y los empleados: "Un señor llama a un plomero para que le arregle su lavabo, que gotea. Llega el plomero, pega dos martillazos y en cinco minutos termina su trabajo. El señor, muy contento, le pregunta que cuánto le debe. El plomero le contesta que son 50 dólares. Sorprendido, el dueño de la casa le responde: '¡Yo trabajo como contador en una oficina y no gano 50 dólares cada cinco minutos!' El plomero le contesta: 'Yo también soy contador y cuando trabajaba en una oficina, como usted, tampoco ganaba 50 dólares por hora'".

Los libros no le enseñan cómo ser comerciante ni como hacer dinero, sólo la práctica hace su maestría en los negocios. Si usted tiene un negocio no le ofrezca a su hijo el empleo de subdirector o gerente, o de cajero si tiene un restaurante, póngalo donde aprenda lo que usted aprendió cuando no sabía nada del negocio. Como usted, él tendrá que echar a perder antes de graduarse.

Hace algunos años el director de recursos humanos de un banco me contó la historia de un joven que trabajaba de auditor y que luego se transformó en un comerciante muy exitoso. La historia inició cuando el banco comenzó a reducir personal; después de la nacionalización, los bancos fueron comprados por empresarios y comenzó la reducción de su estructura. En dos oportunidades, el joven de la historia había salvado su puesto dentro de la empresa, tras rogar que no le quitaran el empleo porque de él dependían su mamá y su hermana. Este joven también vendía carne a los empleados del banco. Hacía los pedidos al inicio de la semana y los entregaba el viernes. Considerando que el banco contaba en aquella época con doce mil empleados, el muchacho tenía un mercado cautivo interesante y vendía una buena cantidad de carne al mes, con lo cual alcanzaba a cubrir sus necesidades económicas. Ése era el verdadero motivo por el cual este empleado sufría tanto y pedía por favor que no lo echaran. ¿Dónde podría conseguir la oportunidad de tener un empleo y vender carne en el mismo lugar? Hasta que un día finalmente lo despidieron. Al salir del banco, con la experiencia que había obtenido vendiendo carne y el dinero de su liquidación abrió un pequeño restaurante de carnes. Con los años aprendió a manejar el negocio y hoy tiene uno de los restaurantes más exitosos de carnes estilo argentino en México, con varias sucursales. Muchos de sus amigos que continúan trabajando en el banco, incluido el director de recursos humanos, ven con admiración y cierta envidia semejante éxito después de una aparente desgracia al perder la seguridad del empleo.

La moraleja de esta historia es no perder de perspectiva el mundo en que vivimos. Hoy somos muchos los que tenemos una buena educación, pero lamentablemente los gobiernos ya no tienen la capacidad para generar oportunidades de empleo para todos.

Use su creatividad, edúquese en el mundo de los negocios desde muy joven, cuanto más pronto mejor, y comience a construir su independencia económica. Día tras día el comercio ha demostrado que es una gran oportunidad para tener un mejor nivel de vida y poder acumular riqueza en menos tiempo.

Errores más frecuentes cuando
se inicia un negocio

Error	*Descripción*
1. No invertir suficiente tiempo para investigar la viabilidad del negocio	Éste es el error más grave y más frecuente: nueve de cada diez empresarios fracasan porque la idea que tenían no era viable. Es tanta la ansiedad por abrir el negocio que no realizan por lo menos una investigación de mercado. No escatime tiempo para conocer el potencial que tiene y qué perfil caracteriza al mercado que desea atender.
2. Errar en la predicción de la curva de aceptación del mercado	Al calcular mal el tamaño de su mercado, también calculan mal su proyección de ventas. Algunos señalan: "Existen dos millones de personas que necesitan mi producto y tengo que venderle a *x* porcentaje de esa población para que sea negocio". En realidad, esa cantidad sólo está definiendo clientes potenciales. Necesitan considerar el ciclo de madurez de las ventas para conocer cuánto tiempo les llevará alcanzar los números a los que se comprometieron. Usted tiene que calcular el capital suficiente para que el producto se conozca y sea aceptado por sus clientes potenciales.
3. Incorporar socios innecesarios	Cuando uno necesita invertir se buscan socios que, a menudo, son amigos o parientes. Lamentablemente, muchos de estos socios no contribuyen más que con dinero, ¡pero poseen 50 por ciento de su negocio! Son una carga si no agregan valor. Sin embargo, como son sus amigos o parientes, usted posterga la decisión de prescindir de ellos. Antes de elegir socios piense dos veces, analice si la contribución o la especialidad de su socio se da en el área donde el negocio la necesita y no sólo lo invite por amistad o parentesco para que le cubra las espaldas porque le tiene confianza.
4. Falta de habilidades de negocio	Es muy común que el fundador sólo se concentre en las actividades que sabe. Si es especialista en diseño, ése será su foco, ¿pero quién vende, quién administra y atiende a los clientes? Usted no puede tener uno para cada cosa en su etapa inicial.

	Usted le prestará mucha atención a una parte del negocio y a otra no, porque no sabe o no le gusta, y con ello pierde el control de la totalidad del negocio. La clave está en elegir un socio que se oriente a cubrir un perfil complementario al suyo. Sin embargo, en la etapa inicial es necesario que usted conozca su negocio como un todo.
5. Falta de claridad en los propósitos a largo plazo de su negocio	Aunque su empresa sea joven debe tener usted en su mente qué espera de ella en el largo plazo; no importa si con el tiempo lo cambia. Esta definición es muy importante cuando en el futuro tenga que decidir si incorpora un nuevo producto o crea nuevas alianzas. La definición le permite seleccionar la gente idónea para su proyecto.
6. Falta de foco y de identidad	Su compañía y sus productos deben tener fuerza de identidad en el mercado. Al principio, muchos quieren ir a todas las oportunidades y se amplían tanto que no se concentran en un producto o un servicio específico. Si usted vende juguetes, no debe venderle a cualquier negocio sólo porque comercializan juguetes. Enfocarse le da poder de negociación y control del mercado. No todos pueden ser sus clientes, pues en las etapas iniciales la recuperación de su cartera es la clave para su salud financiera. Vender y cobrar mal o vender en condiciones muy flexibles de crédito es un modelo suicida en las etapas tempranas de crecimiento.
7. Falta de una estrategia de salida	Debe tener un plan de salida, por ejemplo, si en dos años quiere crear otro negocio, o si quiere que su hijo maneje la compañía, o piensa desarrollarla y luego venderla. Si es así, esté atento de la posibilidad de vender su compañía a una compañía grande, preferentemente multinacional. Conviene, por tanto, tener todo registrado y patentado. Sus productos deben ser de altísima calidad, ya que ser pequeño no justifica una calidad baja.

Etapas iniciales de crecimiento de un negocio

Si usted está arriesgando su dinero debería saber qué le exige su negocio en etapas tempranas. Además de los errores más comunes al iniciar el negocio, es necesario resolver los problemas normales de crecimiento y sobrevivencia de su nueva empresa. No prestar atención a estos ciclos de crecimiento le puede hacer perder la camiseta y tendrá que regresar a su estado de dependencia en un empleo donde le garanticen su ingreso mensual. Éstos son los retos a los que debe prestar atención especial en las tres etapas tempranas de crecimiento:

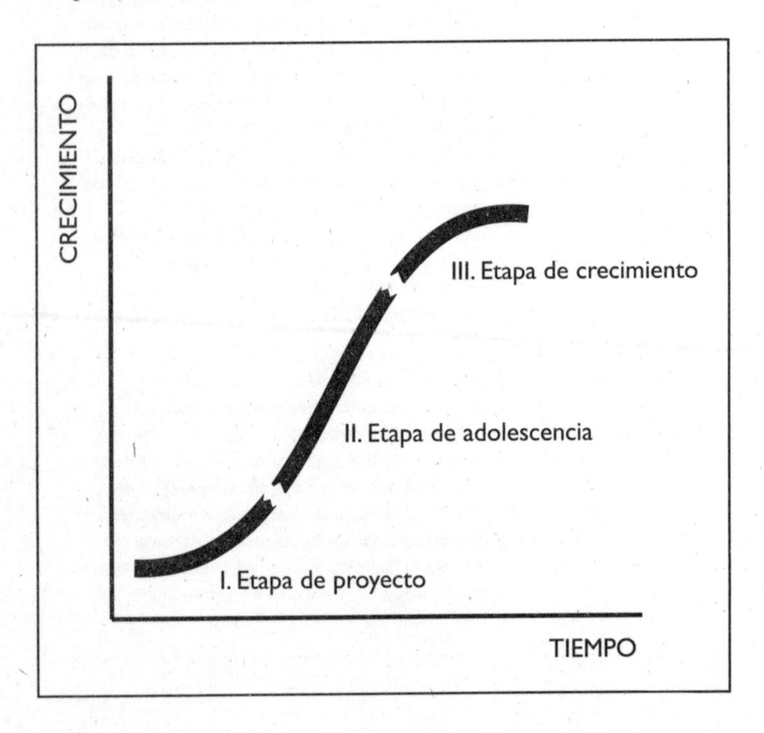

I. Etapa de proyecto

En este momento el negocio aún no existe físicamente, sólo en su mente. Es un proceso emocional cargado de esperanzas, sin embargo, ese proceso requiere mucha seguridad personal para sostenerse en las etapas difíciles. Seguramente tendrá muchas dudas que sólo las resolverá cuando inicie la operación. No puede dudar de usted ni de sus capacidades para resistir los embates del entorno. Si no es así, tome su tiempo y continué haciendo el análisis de los errores antes de arrancar.

II. Etapa de adolescencia

Ésta es la fase de la organización centrada en una persona: en usted. Tiene planes de organización, pero no sabe bien cómo se va a comportar el mercado. Los cuidados que un bebé necesita para un crecimiento sano son: tomar leche suficiente cada tres horas y cambiarle los pañales. Del mismo modo, para que su empresa sobreviva necesita mucho flujo de efectivo y cambio de pañales, es decir, los errores que se cometan debe corregirse de inmediato. Deben cobrar bien y vender bien. La organización deberá tener un control estricto de la rotación de sus inventarios, costos bajos y cobranza puntual. En esta etapa si la empresa pierde la capacidad de recuperación de flujo de efectivo, también morirá.

III. Etapa de crecimiento

Si el negocio sobrevivió a la etapa anterior significa que sus ventas van creciendo poco a poco. En este momento usted deberá invertir en crecer, por ejemplo: incorporar nuevas líneas de productos, diversificarse. Ya puede pensar en abrir sucursales y reclutar más vendedores. La muerte de la empresa en esta etapa se atribuye generalmente a la falta de sistemas, políticas y procedimientos. Todos están centrados en crecer y vender, pero nadie administra, y los costos pueden salirse de control y perder liquidez. La empresa no crecerá si no tiene un buen administrador que ordene el caos. Si, por el contrario, usted sólo se centra en administrar y no sabe cómo vender, el crecimiento se verá limitado por la falta de habilidad comercial y un exceso de reportes. De nada le servirá controlar la pobreza. Necesita gente en la calle.

sea un *inversionista*

"Primero debemos desaprender para luego aprender".

La palabra *inversionista* suena como si se tratara de una actividad compleja propia de una élite con mucho dinero para invertir. También lleva implícita la idea de que los inversionistas son expertos en dinero y que tienen un nivel de vida al que pocos mortales pueden acceder. Cuando uno piensa en un inversionista se imagina a alguien que invierte en la bolsa de valores de Nueva York. Personas que usan trajes caros, que poseen automóviles lujosos y que hablan con un lenguaje que pocos serían capaces de entender.

Se les asocia con personas que viven en un mundo de opulencia, puesto que el dinero que han invertido seguramente es mucho más de lo que uno puede imaginar reunir a lo largo de toda su vida. Vaya, ni siquiera teniendo siete vidas, como los gatos. Sin embargo, quiero decirle que estas ideas están muy alejadas de la realidad. Como usted, tengo la certeza de que existe un núcleo privilegiado de gente que vive de las inversiones y que, al poseer muchos millones de dólares, mueven fortunas incalculables minuto a minuto.

Pero ello no implica que usted no pueda transformarse en un inversionista a su nivel y obtenga ganancias muy importantes con la disponibilidad lograda gracias a sus ahorros.

Un inversionista es, simplemente, una persona que tiene conciencia de que el dinero debe ponerse a trabajar para que produzca más dinero. El dinero estancado se vuelve perezoso y cada día tiene menos movilidad; como consecuencia, gradualmente produce menos dinero y esto sólo lo hace más pobre.

Las personas que acumulan muchos millones mueven su dinero todo el tiempo, como si no tuvieran suficiente. La razón por la cual tienen tanto es porque siempre están pendientes de él y lo rotan de un instrumento a otro. Esas personas son tan ricas que parecen no necesitar más dinero porque toda su vida no les alcanzaría para gastarlo. Pero continúan aumentando su patrimonio. Éste es un principio de vida.

Como todo principio, significa que es de carácter universal, que se aplica en todos los órdenes de la vida y en todo el mundo, no importando la nacionalidad, raza o credo. Por ejemplo, las mujeres bonitas van más veces al salón de belleza que las que no lo son. Parecería que ellas no lo necesitan, ya son hermosas, pero su belleza se mantiene o mejora mientras estén preocupadas por ello. También las personas que corren maratones o hacen *jogging* todas las mañanas, a juzgar por su apariencia física, no parecieran tener la necesidad de practicar tanto ejercicio; sin embargo, lo hacen y por eso se ven sanas. Lo mismo pasa con su dinero. Debe aprender a moverlo, a desempolvarlo de sus cuentas de ahorro tradicionales que no le dan intereses suficientes; necesita aprender a moverlo para sacudirle la pereza, para que recupere su lozanía, para que le haga ganar más con lo mismo que usted dispone.

¡No importa el excedente que tenga!, grábese esta frase en su mente. Quizá tiene 10 dólares o 100,000 dólares, lo que importa es qué hará con ese dinero. Las personas que deciden incursionar en el mundo del dinero comprenden que deben conocer del tema y consultar a su banquero, a las compañías de seguros o a asesores en inversiones, e indagar cuáles son las opciones que existen y aprender poco a poco a utilizar aquellas que resulten más adecuadas para el monto que tienen planeado invertir.

Se convierten en personas aficionadas a estudiar durante muchos años, que asisten a pláticas y conferencias sobre el tema, que leen todo aquello que se ha escrito sobre cómo manejar mejor su dinero y que preguntan a los especialistas acerca de las opciones que existen para invertir su dinero.

Al final conocen más que los propios asesores, pues consultan varias fuentes de información que les permiten llegar a conclusiones más certeras que las del mismo especialista. Desarrollan su inteligencia financiera y maduran como inversionistas. Las personas que educan su mente para comprender cómo invertir el dinero concluyen al final del camino que el valor del dinero no está en su valor intrínseco, sino en cómo lo manejan para que produzca más.

Usted debe comprender que además de ser un empleado, un empresario, un profesional independiente o un comerciante, al mismo tiempo puede tener el trabajo adicional de inversionista de usted mismo, ¡de su propio dinero!

"aprenda a mover su dinero, a desempolvarlo de sus cuentas de ahorro tradicionales, sólo así ganará más"

su próxima profesión: *inversionista independiente*

"El 60 por ciento de las personas sólo pagan el mínimo de su tarjeta cada mes".

Sin importar a qué se dedique el secreto es que usted sea un inversionista. Imagine por un instante que es empleado de una empresa y a la vez tiene su propia profesión de inversionista. No se asuste, ni sacuda la cabeza, ni se ponga nervioso; no le estoy pidiendo que se convierta en un experto de la noche a la mañana ni que viva para el dinero. Lo que sí le pido es que se vuelva un conocedor de algo que recibirá a lo largo de toda su vida como producto del esfuerzo de su trabajo. Ser inversionista es una profesión en la que usted es el dueño. Es usted quien toma todas las decisiones, nadie lo manda. Y también es usted su propio jefe, quien establece el horario y el tiempo que le dedicará a esta profesión.

Lo más interesante es que si usted asume este rol, el capital que hoy tiene se irá incrementando poco a poco, de acuerdo con las habilidades y el tiempo que invierta. El requisito esencial es que usted sepa cómo multiplicar su dinero. No olvide que debe estudiar por un tiempo hasta que se gradúe de profesionista en inversión de su propio dinero. Cuando haya hecho varias inversiones y en todas haya ganado dinero sin perder un solo centavo de su capital, se habrá titulado.

Si no estudia ni se capacita para dominar las bases de esta profesión, mejor no se meta, porque perderá hasta lo que no es suyo. La ignorancia se paga en esta profesión.

Si logra desarrollar su inteligencia financiera tendrá grandes probabilidades de acumular el capital suficiente para invertir y transformarse en una persona rica. El secreto es que el dinero trabaje para usted y no que usted trabaje para el dinero durante toda su vida activa.

Si usted quiere mantener su empleo está muy bien, pero nunca debe dejar de ser un inversionista. Una característica atractiva y peculiar de esta profesión es que es vitalicia, es decir, mientras exista el dinero en este mundo y en su bolsillo, deberá cuidarlo.

No podrá quejarse de que las matemáticas no se le dan, o de que usted no nació para trabajar con dinero. Esa excusa es inoperante, puesto que a usted le agrada recibir el dinero que ha ganado mes tras mes, ¿no es así? Aunque no le guste, tendrá dinero en el bolsillo incluso el mismo día en que deje esta vida terrenal. El dinero forma parte de la vida de cualquier ser humano, desde que nace hasta que muere. Está ligado a la primera casa, el primer automóvil, la cura de las enfermedades, los viajes inolvidables, la universidad de sus hijos.

En la profesión de inversionista administra un producto en que usted es el único propietario. "El dinero", "*money*", "plata", "pasta" o "lana", da lo mismo cómo se le llame, es el producto del que se ocupa esta profesión.

Para el inversionista, el dinero es un instrumento de intermediación que le permite lograr su independencia económica.

Cuando usted considera el dinero como un producto, comprende entonces que el valor de su dinero no es lo importante, sino las oportunidades que usted cree al invertir ese dinero. Eso es precisamente lo que le da valor.

Hace algún tiempo un buen amigo me comentó: "Me compré un terreno en Cancún que me costó 200 dólares el metro cuadrado, y seis meses después me ofrecieron 1 000 dólares por metro cuadrado". ¡De eso es de lo que estoy hablando!

El dinero que usted tiene no le da riqueza. La riqueza es producto de su capacidad para invertirlo de manera inteligente. Las personas que piensan como inversionistas ven el dinero como un producto para multiplicar, no como una cosa para ahorrar. El ahorro no lo hará nunca millonario. Colocar su dinero en cuentas de ahorro al único que hace millonario es al banco, no a usted. El que usted ahorre 1 000 dólares mensuales durante cuarenta años seguro que le dejará mucho dinero, pero no es necesario esperar tanto tiempo. Disminuir el ciclo de producción de su riqueza es el objetivo.

Un gerente de sucursal de un banco me contó un día que una señora de setenta y tres años iba todas las semanas a preguntarle cómo iba su dinero y si había algo nuevo en lo que pudiera invertirlo para que le diera más dinero. "La señora está mejor informada que la mayoría de mis clientes de la sucursal", concluyó el gerente. El secreto es que sus millones vendrán cuando usted multiplique el valor de su dinero. No importa si usted es empleado, empresario, profesionista o comerciante, estas profesiones son el recurso que usted dispone para generar ingresos, no riqueza.

Hace poco un amigo me comentó que había pagado el enganche para adquirir un departamento en la ciudad de México, y que tenía que esperar cuatro meses para que se lo entregaran. El departamento le había costado 150,000 dólares, los cuales debía pagar en el momento de la entrega, que sería en cuatro meses. Firmó el contrato de intención y dio un enganche de 20 por ciento, es decir, 30,000 dólares.

Cuando entregó el enganche apenas se habían construido los cimientos del edificio, por lo que se preocupó un poco y me dijo que veía difícil que en cuatro meses lo terminaran. Pero el arquitecto le prometió que los departamentos estarían listos para esa fecha. Cuando se cumplieron tres meses y medio el edificio estaba casi terminado. Se veía muy bonito, aunque le faltaban algunos detalles.

Días después, en una cena con varios conocidos, mi amigo habló muy orgulloso acerca de la compra que había hecho y que pronto estaría concluida. Entonces, uno de los asistentes le comentó que le urgía comprar un departamento en esa zona, y le preguntó si le interesaba vendérselo. Mi amigo le respondió que no. En el trayecto a su casa le platicó a su esposa sobre esta conversación, y ella le sugirió: "¡Hazle una oferta, no pierdes nada!" Así fue: llamó a la persona y le dijo que lo había pensado mejor y que le vendía el departamento en 210,000 dólares, puesto que el edificio era nuevo y de lujo.

Finalmente, la persona interesada fue a ver el departamento, le gustó mucho y cerró el trato de inmediato. Mi amigo obtuvo 40 por ciento más del precio al que lo había comprado. La verdad no estuvo nada mal ganarse 60,000 dólares en dos meses luego de haber hecho una inversión de sólo 30,000 dólares, ¿no cree usted? Duplicar su ingreso en tan poco tiempo es un buen negocio aquí y en cualquier parte del mundo.

A eso es a lo que me refiero cuando menciono que el dinero que usted tiene guardado no es lo importante, sino las oportunidades que encuentre para moverlo. Eso es lo que le da valor. Cuando su dinero está parado o estancado en una cuenta de ahorro no tiene ningún valor de intercambio.

En este caso, 30,000 dólares se transformaron en 60,000 en un lapso de sólo tres meses. ¡De eso se trata! Es lo que pasa cuando alguien maneja el dinero como un producto. Sólo le aconsejo una cosa: en el mundo de los bienes raíces es mejor comprar en preventa antes de que una construcción esté concluida, puesto que obtiene precios más bajos. Luego de terminado, si un edificio es bonito y tiene buena vista, seguramente adquirirá más valor. Recuerde que el amor entra por los ojos.

Los inversionistas que conozco se enamoran del dinero por lo que pueden llegar a hacer con él, por las oportunidades que les brinda para multiplicarlo, pero no por otra razón. No bien tienen dinero están pensando dónde colocarlo de inmediato; les quema tenerlo guardado.

Cuando usted considere el dinero como un producto aprenderá a manejarlo como tal. Es lo que pasa con cualquier producto que se espera vender con una utilidad cada vez que se hace una transacción. Deberá comprar barato y vender caro. Ése es el principio en los negocios.

Como me dijo hace algunos años un buen amigo que siempre trabajó en el piso de remates de la Bolsa Mexicana de Valores: "El dinero que yo manejo en el piso de remates no es mío, trabajo en un edificio que no es mío y tengo un trabajo que me permite usar el dinero de otro para que yo gane dinero. Manejo el dinero como un producto que compro y vendo todo el tiempo".

Cuando uno ve el dinero como producto, las decisiones son más frías y calculadas, y se asumen riesgos que nunca correría uno si le pusiera emoción al asunto.

Por lo pronto, no se enamore del dinero. Trátelo como un producto y entonces usted podrá tener un empleo y al mismo tiempo ser un inversionista. Continúe haciendo lo que acostumbra para ganarse la vida pero invierta sus excedentes, no los ahorre. No olvide que el dinero trabaja mientras usted duerme, produciendo dividendos para usted si toma decisiones inteligentes.

> "no olvide que el dinero trabaja mientras usted duerme, produciendo dividendos para usted si toma decisiones inteligentes"

Cambie su perspectiva sobre el dinero y le aseguro que podrá acumular más del que ha reunido a lo largo del ejercicio de su profesión. El único requisito es estudiar y acercarse a los expertos en materia de inversiones, para que lo asesoren y le ayuden a desarrollar su inteligencia financiera.

Los seres humanos actuamos de manera extraña ante el tema del dinero. Si usted tiene problemas emocionales, va a un psicólogo y le cuenta todas sus preocupaciones. Si tiene problemas físicos, va al médico especialista y le platica sus dolencias. Si su coche está fallando, va al taller y le dice al mecánico que se ocupe de él. Pero si tenemos problemas financieros, no se lo comentamos a nadie, ni siquiera buscamos un especialista que nos ayude. Nos encerramos en nuestro cuarto muy preocupados y nos ponemos a platicar con nuestro cónyuge (¡que regularmente tampoco sabe de dinero!). Incluso cuando hablamos de dinero bajamos la voz, no me explico por qué. ¿Usted lo sabe?

En asuntos de dinero, también es necesario buscar especialistas de los que uno pueda aprender para mejorar la situación.

No importa la edad que usted tenga ni la cantidad de dinero que haya ahorrado. Lo que importa son las oportunidades que usted identifique para hacer crecer su dinero.

Ver el dinero como un producto para invertir y no como algo que tenemos para gastar marca la diferencia en su actitud ante la vida. Desarrollar en usted y en sus hijos el hábito de la inversión producirá un efecto multiplicador impresionante en su dinero, y podrá tener una vida mucho más estable y cómoda en el futuro. Usted podrá gastar el dinero que usted quiera siempre que lo haga producir.

Con esta nueva visión del dinero tendrá un empleo adicional para el resto de su vida, pero con un producto que es suyo. Es un empleo en el que usted decide cuántos años trabajar. La virtud de este nuevo empleo es que le permite construir su patrimonio en forma independiente. Todo depende de cuánta información tenga y de los instrumentos de inversión que existen para el monto de dinero del que dispone.

Este nuevo empleo también comienza a desarrollar en usted el instinto de las oportunidades para comprar y vender. Tal como mencioné al inicio del libro, los millonarios son oportunistas. Todo

Relación simbiótica entre la profesión de inversionista y las demás profesiones.

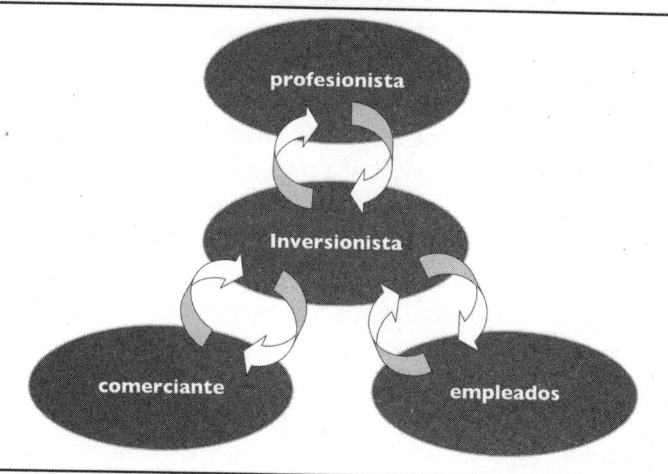

el tiempo buscan la oportunidad de obtener una ventaja adicional con el dinero que tienen.

Lo invito a que comience a desarrollar su capacidad de análisis de oportunidades y maneje el dinero como el producto más excitante que jamás haya comprado y vendido. Si decide no desarrollar esta habilidad entonces continuará atrapado en el mundo de correr y no avanzar. Tendrá que rezar en espera de que le aumenten su sueldo una vez al año o de que la inflación no consuma sus ingresos profesionales. O bien, continuará siendo víctima emocional del consumismo.

En lugar de buscar una oportunidad para invertir su dinero buscará una oportunidad para gastarlo. Las emociones en el mundo del dinero sólo deben servir para incrementar la adrenalina por invertirlo cada día mejor y sentir el profundo placer de la ganancia, no para gastarlo indiscriminadamente.

Luego uno se queja de que haya gente con suerte que tiene mucho dinero. No olvide el principio económico que dice que "el dinero no se pierde, sólo cambia de manos".

"hay dos tipos de personas: las que ganan dinero y las que invierten el dinero que ganan."

Si usted pierde dinero en un negocio alguien lo tiene, no se pierde. Es decir, alguien muy vivo está utilizando la inteligencia financiera para incrementar el dinero de su bolsillo a costa de los que no saben o no quieren aprender; en pocas palabras, a costa del dinero de otros.

Este tema es como un célebre chiste de Verdaguer, a quien ya me referí en otro momento: "Según los sociólogos existen seis mujeres por cada hombre en el mundo. Yo me pregunto quién es el vivo que se la está pasando muy bien con mis otras cinco, porque yo llevo veinte años con una sola". Lo que significa que si usted tiene un peso alguien tiene cinco. Interesante, ¿no?

Por último, le recuerdo que en este mundo hay dos tipos de personas: las que ganan dinero y las que invierten el dinero que ganan.

Las que ganan dinero. Primero, tienen ingresos; segundo, gastan sus ingresos, y tercero, ahorran su dinero.

Las que invierten su dinero. Primero, tienen ingresos; segundo, invierten su dinero, y tercero, gastan su dinero. Decida usted qué tipo de persona quiere ser en el futuro.

Jugar a no perder es la trampa del temor. Todos los procesos que mencioné anteriormente requieren de valentía, de ambición, de fe. Si usted duda de sí mismo, si no se tiene confianza, es mejor que no sufra y siga mis consejos muy lentamente. No importa que le tome un año más, pero hágalo paso a paso. El dinero no tiene apuro, quien lo tiene es usted, o su edad, o sus ambiciones, o la competencia con sus vecinos o sus amigos, o la imagen ante los demás. Siempre que les pregunto a las personas si piensan ganar en la vida, invariablemente me responden: "¡Sí, por supuesto!"

El problema radica en que mucha gente quiere ganar, pero juega en la vida a no perder. Si quiere ganar no perdiendo, entonces tendrá que conformarse con lo mínimo que la oportunidad le ofrece. Si se cuida tanto de no perder dinero, el temor no le permitirá asumir riesgos. Pone tantas condiciones para ganar que al final termina por no decidir. Como se dice vulgarmente: se pone tantos moños para decidir que termina por no hacerlo. Ya se arrepentirá con los años.

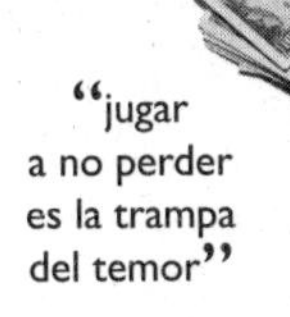

> "jugar a no perder es la trampa del temor"

Hay un dicho campirano que se aplica a las jóvenes que no se casan y que por ponerles tantas condiciones a sus pretendientes se quedan solteronas dice así: "Por esperar a los de a caballo, se quedó con los de a pie".

En todo riesgo siempre hay un espacio que es "tierra de nadie": ni suya ni de la oportunidad. Ese espacio es la fe que usted tiene en sí mismo para invertir. A las personas que piensan en ganar no les atemoriza la incertidumbre y asumen el riesgo de lo desconocido, esa "tierra de nadie" que exige fe y esperanza de que se cumpla lo esperado.

Si usted es de las personas que tienen miedo, no arriesgue su dinero. Tome decisiones que le garanticen un alto grado de seguridad, pero acepte que de este modo ganará muy poco. El miedo es una falsa realidad que inhibe nuestras conductas. Cuando es muy grande, anula su inteligencia y no le permite tomar buenas decisiones.

Si usted es de los que dice: "¡Si pierdo, pierdo; si gano, gano!" Jamás tome una decisión de dinero movido por tal grado de emotividad.

El dinero es tan importante para las personas y a su vez tan desconocido para la mayoría, que sólo corren el riesgo de ganarlo y gastarlo, pero no de ganarlo e invertirlo. ¿No le parece esto increíble?

Nos da más seguridad gastar y deber que invertir para ganar. Así actúa nuestra mente ante la incertidumbre, pero se trata de una reacción emocional y no racional. El problema del temor es que cuando lo mantenemos dentro de nosotros mismos, nos controla.

Debe considerar la necesidad de vencer su miedo o vivir lleno de deudas, sin aprender a manejar su dinero. No le dé poder a lo que no lo tiene: el control de su dinero debe estar en sus manos y no en sus temores. No olvide que puede disminuir los riegos con información y aficionarse a la literatura sobre cómo manejar el dinero. Si no domina el temor a lo desconocido, el dinero terminará por controlarlo a usted, y su vida nunca podrá transformarse en lo que usted quiere.

Ser controlados por un elemento que no tiene vida ni inteligencia no me parece muy cuerdo. Lo que sí me parece coherente es que debemos tomar conciencia de que somos prisioneros de nuestras propias decisiones, tal como lo mencioné en el primer capítulo.

Vivimos encerrados en una cárcel que sólo tiene cerraduras por dentro, y luego guardamos la llave en nuestro bolsillo. Sentados en una silla de esa prisión, rumiamos nuestros conflictos y concluimos que no sabemos qué hacer con el problema financiero que nos abruma, sin darnos cuenta de que tenemos la llave en el bolsillo. Recuérdelo: es necesario que venza sus temores para controlar su dinero.

Consejos para el próximo lunes

1. Usted nació en el mundo consumista del siglo XX y vive en el siglo de la sobresaturación de productos y ofertas. ¡Cuídese de ellos!
2. Analice qué es lo que piensa del dinero porque ello lo puede empobrecer.
3. No importa cuánto tenga, pero sea un inversionista de su dinero.
4. Busque un asesor que lo oriente en el manejo de su dinero.
5. Nunca pague sólo el mínimo en su tarjeta de crédito.
6. Luche contra el síndrome de gratificación inmediata de compra.
7. Nunca ajuste su nivel de vida a su nuevo ingreso.
8. Cultive su mentalidad de empresario, no de empleado.
9. Piense siempre cómo iniciar su propio negocio.
10. Invierta sus excedentes, no los gaste.

CAPÍTULO CUATRO

Eduque en su hijo la *inteligencia* financiera

hable *de dinero* con sus hijos

"El 80 por ciento de los estudiantes que se gradúan ya tienen deudas de tarjetas de crédito... antes de tener un empleo".

TANTO PSICÓLOGOS INFANTILES como especialistas en educación coinciden en que lo que vivimos y aprendemos en los primeros años de vida dan forma a nuestro futuro. Así pues, los niños son capaces de aprender el valor del dinero desde el momento en que saben cuánto pueden comprar con una moneda. Cualquier niño de seis años intercambia una moneda por un dulce, y de ahí en adelante comprende qué puede hacer con el dinero si le enseñamos cómo funciona y a administrarlo. Lamentablemente, muy pocos padres les enseñan a sus hijos qué es el dinero. Menos de 30 por ciento de los padres en México hablan con sus hijos acerca del dinero, y el resto ni siquiera lo considera importante. En la mayoría de las familias el dinero es un tema tabú, casi un secreto. Es sorprendente que asumamos esta actitud, si consideramos que el dinero es uno de los problemas importantes que afecta a la mayoría de las familias.

> “sería muy saludable para el futuro de sus hijos que se familiarizaran con el manejo del dinero en etapas tempranas de su vida”

Lo más curioso es que cuando la familia está reunida los padres regularmente no hablan de dinero. Menos aún cuando se sientan a la mesa. Algunos dicen: “¡Cuando se come en esta casa no se habla de dinero!” Lo cierto es que cuando estamos reunidos no se puede hablar de él. Y si no se puede hablar cuando estamos reunidos, ¿cuándo entonces? El tema del dinero sólo se discute en privado.

¿Se acuerda usted de que alguna vez, siendo niño, hayan convocado una reunión para hablar específicamente de dinero? Si la familia se reunía era para pedirle prestado a algún pariente, pero no para aprender a generar más dinero o administrarlo mejor.

¿Entonces por qué no crear en su hogar un ambiente propicio para hablar de dinero tal como habla de otros temas cuando están reunidos en familia? Sería muy saludable para el futuro de sus hijos que se familiarizaran con el manejo del dinero en etapas tempranas de su vida.

Nuestra responsabilidad como padres es inculcarles una cultura financiera. No espere a que la universidad o la escuela lo hagan; los maestros, por cierto, no saben de eso.

No es tarea fácil enseñar a los hijos porque, para empezar, los padres mismos ignoran muchos temas financieros; sin embargo, no repita con ellos el mismo error que cometieron con usted. Sea usted un individuo en transición, un individuo decidido a resolver este problema.

Los niños aprenden por medio de la observación, es decir, aprenderán de lo que usted hace, por ello cuide sus actitudes y

"modelar la conducta de los hijos es la piedra angular de todo aprendizaje"

comportamientos acerca del dinero. Copiarán tanto sus malos hábitos como los buenos.

Modelar la conducta de los hijos es la piedra angular de todo aprendizaje. Si no lo cree, pregúntese: ¿en qué creen más sus hijos: en lo que usted les dice o en lo que hace? Nuestros actos son armas poderosas que nosotros, los padres, tenemos para educar. Nuestros actos demuestran lo que pensamos, y hacen evidentes cuáles son nuestras prioridades. El ser humano cree en lo que ve, y usted puede aprovechar la imagen paterna para influir positivamente en su hijo.

En una ocasión un reportero le preguntó a Henry Ford por qué su hijo gastaba tanto dinero siendo que él no había sido así. Henry Ford le respondió: "La respuesta es muy fácil: es que mi hijo tiene un padre rico, y yo no".

La educación de los hijos es fundamental en sus hábitos futuros. Debe cultivar en ellos la mentalidad de millonario para que puedan construir su solidez económica por sí mismos. No deje que el marketing, la televisión o la publicidad los eduquen, porque seguramente se transformarán en "cintas negras" del consumo: no les verá las manos de tan rápido que usan su tarjeta de crédito y tendrán un apetito insaciable por consumir.

Estudios realizados por sociólogos han demostrado una tendencia significativa en muchos hijos de poderosos industriales en que las generaciones posteriores a las que crearon el imperio terminan por estancar o vender el negocio. Parecería que el tiempo se encarga de anular toda la habilidad o el interés por manejar la fortuna creada.

Las probabilidades aumentan cuando los padres los educan como júniors y les dan todo lo que, cuando ellos eran adolescentes, su padre no pudo ofrecerles. No se dan cuenta de que es un proceso compensatorio de la pobreza de sus años de juventud. Llenan a sus hijos de cosas como si fueran arbolitos de navidad. Lo que no saben estos padres es que están firmando la sentencia de su empresa para las próximas generaciones; están creando un inválido en asuntos financieros. Los estudios han confirmado que a partir de la tercera generación comienzan los problemas en el manejo del imperio fundado por el abuelo. La respuesta es que a los nietos se les ha educado en el mundo del confort y se imaginan que el dinero viene del banco. No piensan que viene de las máquinas donde el abuelo inició todo. No les gusta arremangarse la camisa ni sudar para sacar adelante el negocio.

Así sucedió con los Rockefeller. Si el abuelo supiera que sus nietos vendieron el edificio emblemático de la familia —el Empire State— a los japoneses, no lo podría entender.

Existen, también, casos en donde los hijos han multiplicado el dinero que les dejó su padre creando grandes fortunas, como Donald Trump en Nueva York, o Carlos Slim en México, y muchos otros, lo cual confirma la trascendencia de la educación acerca del dinero en etapas tempranas de la vida de los hijos.

el *dinero* y los niños

"Lo que heredas de tus padres,
gánatelo para poseerlo".

Una historia que no debe repetirse

Una adolescencia perpetua

José Luis era un joven de catorce años, inquieto y lleno de vida, que disfrutaba de su adolescencia. Un día nos reunimos varios amigos con el papá de José Luis. Estábamos todos platicando en la sala y en algún momento se acercó el muchacho a su padre con gran seguridad y le pidió dinero porque quería ir al cine con sus amigos. Su padre sacó de la billetera 10 dólares y su hijo le reclamó pidiéndole más, pues después del cine pensaban ir a comer todos juntos. Sacó otros 10 dólares y le entregó el dinero. El padre nos miró con cara de reclamo y dijo: "A los hijos nunca les alcanza".

Después de algunos años, sé que José Luis continúa viviendo con sus padres. Ya cumplió veinticuatro años, terminó la universidad y tiene un trabajo en el que sale a las cinco de la tarde. No se preocupa mucho por su carrera profesional, pues con lo que gana le alcanza perfectamente para sus gastos. El carro que tiene se lo compró su papá, y su mamá sigue atendiéndolo como cuando era adolescente.

“algunos padres afirman: ‘No queremos que se preocupe por nada; sólo que estudie’”

Jóvenes como José Luis, a quienes encontramos en muchos hogares, se toman la vida con mucha facilidad porque así fueron educados. Toda su vida José Luis recibió dinero de su padre por no hacer nada. Sólo por ser hijo podía pedir y le daban dinero. Nunca tuvo que planear ni administrar su dinero. Si su papá no le daba suficiente dinero, iba con su mamá y lograba completar lo que necesitaba. Nunca recibió consejos de cómo manejar el dinero, puesto que nunca se le negó nada para sus gastos ni para sus viajes. Nunca se enteró de cómo era la vida real allá afuera, porque sus padres lo protegieron en un entorno ficticio. Decían: “No queremos que se preocupe por nada; sólo que estudie’”, “Cuando termine, tendrá toda una vida para preocuparse”, “Que aproveche lo que yo no pude hacer”. Con esta filosofía proteccionista, los adolescentes únicamente se especializan en el XBOX o el Nintendo con los pies en la mesa jugando horas, y comiendo papas y tomando refresco con sus amigos. Lo cual no está nada mal pero empobrece su inteligencia financiera.

La protección le dio a José Luis la sensación de una vida exitosa sin ningún tipo de contacto con la realidad. Nunca tuvo conciencia de las repercusiones de sus actos ya que todo se lo daban sin poner condiciones, no importaba si ayudaba en la casa o no. Siempre le entregaron dinero por estudiar y ser hijo. Nunca se enteró de que en el dinero había un principio de causa y efecto.

En las familias hay muchos hijos como José Luis, con padres protectores que les construyen una fantasía del futuro en que vivirán. Se acostumbran a recibir dinero de la familia, auto, comida y vestido. Todo esto se transforma en un derecho sindical sólo por tener la profesión de hijo. Cuando terminan la carrera se sienten desprotegidos ya que van a perder el trabajo de hijo con todas sus prestaciones. De inmediato, salen a las calles a buscar la misma seguridad que tenían en casa, pero en un empleo.

Solicitan un trabajo que les dé seguridad. Piden un sueldo, tal como se lo daban en casa; piden prestaciones, auto, vacaciones y comedor como tenían en casa; estacionamiento como en su casa, y si tienen atención médica, como el médico de casa. Finalmente, esperan tener un jefe que los trate por lo menos igual que el que tenían en casa. ¿Le parece esto conocido? ¿Ahora comprende por qué la mayoría de los seres humanos quieren seguridad y no oportunidades?

Estudios realizados en los hogares han comprobado que más de 60 por ciento de los jóvenes de dieciocho a veinticinco años viven aún en la casa de sus padres. Este proceso de prolongar la estancia en la casa paterna lo más que se pueda, desacelera el proceso de maduración del hijo.

Los sociólogos dicen que el ser humano es el animal que establece una relación de dependencia más prolongada con sus padres, ¡por lo menos veinticinco años unidos al cordón umbilical! Muchos animales son autónomos en cuanto caminan y aprenden a cazar o protegerse de los depredadores. El ser humano puede vivir toda la vida en casa protegido por el nido que lo vio nacer.

Los jóvenes como José Luis no saben cómo administrar su economía ni tienen una meta clara con respecto al dinero, porque nunca han tenido que pensar en ello. Indudablemente, éste es un error de los padres, pero también de las escuelas, pues jamás orientan a los niños acerca del dinero y cómo producirlo.

No olvide que los hijos copian nuestras conductas, muchos anhelan ser como nosotros. Somos su modelo de vida. Pregúntese: ¿qué modelo aprenden de usted en el tema del dinero? Reflexione su respuesta. La influencia que usted tiene como padre es decisiva, tanta que alguna vez su hijo o su hija se puso su ropa para lucir como usted, y guardamos con afecto la fotografía de un evento de este tipo.

enséñeles *a ser inteligentes* con el dinero

"Regala un pescado a tu hijo
y lo alimentarás por un dia;
enséñale a pescar
y lo alimentarás para siempre".

SEGÚN LOS PEDAGOGOS, sólo se aprende 1 por ciento de lo que leemos, 15 por ciento de lo que escuchamos, 50 por ciento mirando y escuchando, y 85 por ciento experimentando.

No está por demás decirle que no sólo le entregue a su hijo una tarjeta de crédito para que aprenda cómo manejar sus finanzas. Necesita mostrarle lo que usted hace con el dinero y por qué lo hace.

Enséñele aspectos que normen sus criterios, como por ejemplo: *1)* el trabajo y su trascendencia, *2)* instrumentos de ahorros, y *3)* cómo gastarlo inteligentemente.

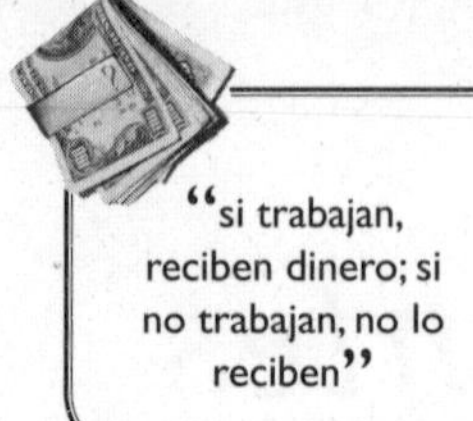

“si trabajan, reciben dinero; si no trabajan, no lo reciben”

1. Enséñeles la trascendencia del trabajo. El trabajo es la forma en que se genera el dinero. Deben tener una comprensión racional y emocional de la interconexión entre dinero y trabajo. Jamás les diga que les está entregando su domingo o su mesada. Tienen que asimilar la idea de que usted sólo paga por lo que ellos hacen, por lo que se ganan con su esfuerzo. Si trabajan, reciben dinero; si no trabajan, no lo reciben. Hay múltiples actividades en el hogar en las cuales pueden ayudar y ganar dinero. No actúe como el padre de José Luis, que le daba dinero cuando el hijo lo necesitaba tantas veces que lo solicitaba.

2. Enséñeles los instrumentos de ahorro. Por la publicidad de los bancos saben ya cuáles son los instrumentos de crédito. Antes de que salgan de la universidad tendrán una tarjeta de crédito, o sea, antes de ganarse la vida ya tienen crédito. Increíble, ¿no? Deben aprender que para comprar no necesariamente tienen que pedir, sino que también es posible ahorrar. Deben aprender a tener metas de ahorro para planear sus compras, de esa forma controlan el impulso de la compra inmediata, característico de todo consumista. Que aprendan a determinar cuánto tienen que ahorrar semanalmente para que alcancen sus objetivos de compra, es un tema clave. Los bancos han desarrollado instrumentos para que los niños ahorren y aprendan que el trabajo no es lo único que genera dinero, sino que el dinero mismo produce dinero si lo colocan en un instrumento de inversión. Son los primeros pasos para crear una mentalidad millonaria.

3. Enséñeles a gastar inteligentemente. El gasto también forma parte de la enseñanza del ahorro, ya que implica que deben planear y trabajar para ganar dinero. Si un niño entiende esto, su nivel de autoestima aumenta pues cuando lo gasta es porque antes ya lo ganó. Se desarrolla en él un sentido de logro y cumplimiento de sus objetivos. Saber comprar significa adquirir cosas que también mantengan su valor de venta en el futuro, por si acaso quieren venderlo.

Por ejemplo, si usted guarda con cuidado los juguetes de Star Wars en la caja y no la rompe, la figura puede venderse a mayor precio en el futuro que si no tiene la caja. Una decisión sencilla de trascendencia. El 99 por ciento de los niños no compran juguetes con la intención de venderlos, pero es bueno que lo sepan aunque nunca los vendan. El objetivo es comprender el principio que rige toda compra inteligente, y educar de esta manera su mente. Así, en el futuro aprenderán a no comprar un carro si no tiene un buen valor de reventa. Esta forma de pensar los hace más inteligentes con el dinero.

¿Recuerda que en el primer capítulo puse como ejemplo a un amigo cuya mentalidad en cuanto a comprar objetos valiosos es que no pierdan su valor con el tiempo? A eso me refiero con este punto. Deben comprar inteligentemente tanto como se pueda.

Si sus hijos son adolescentes mayores, deben recibir el dinero una sola vez al mes. ¡Nunca se los entregue semanalmente!

A esa edad necesitan aprender ya a administrar mensualmente su dinero. Deben tener un presupuesto de gastos que controlar y hacer actividades en la casa o fuera de ella para ganar dinero. Asimismo, tienen que aprender a hacer sus transacciones de dinero en el banco.

Enséñeles los principios de contabilidad, usted o algún amigo que sepa del tema. Es uno de los aprendizajes más poderosos para estructurar su mente. Cuanto más jóvenes, mejor. Los niños pequeños lo asimilan muy fácilmente.

Aprender la mecánica de cómo se asientan los ingresos y los egresos permite comprender los principios para controlar los números. Si usted les entrega el dinero una vez al mes, aprenderán que si gastan todo su dinero en una sola vez en cosas como arreglos para su carro, comer en restaurantes de lujo o comprar ropa cara experimentarán la presión de no tener dinero para gastar en todo el mes. Tendrán que pensar como adultos en relación con el dinero; aprenderán a llevar un control de su libro de gastos mes con mes. Con ello les enseñará a sus hijos a vivir mejor y a construir su madurez en asuntos de dinero. Si no les enseña a manejarlo, tendrán que vivir dependiendo de usted por años.

Cuántas familias no conoce usted en las que puede anticiparse que cuando el padre muera los hijos se gastarán todo lo que él acumuló durante toda su vida. ¿Ha visto esto antes?

Eduque a sus hijos para que sigan el camino de la grandeza financiera de tal forma que estos principios se arraiguen en su mente y operen como un proceso automático el resto de su vida. Esta educación construirá en ellos una mente de millonarios, y evitará que sean individuos dependientes y enajenados.

Si usted es una persona con escasos recursos económicos, es necesario que entrene a sus hijos en este modelo de pensamiento. Pero si usted que está leyendo este libro es una persona joven con recursos limitados, debe aprender seriamente cómo manejar su dinero y pensar como millonario.

jóvenes con *mente* de millonarios

"Un título universitario
no le garantizará su riqueza"

VEO CON TRISTEZA que muchas familias pobres se sienten menos porque sus hijos tienen que trabajar para estudiar. Si pudieran darse cuenta del increíble aprendizaje que están teniendo porque trabajan y estudian, verían que es una oportunidad que el destino les ofrece para aprender, a temprana edad, lo que jamás un hijo de clase media alta o rica podrá aprender tan profundamente. Los jóvenes de clase social acomodada no tendrán acceso a un aprendizaje tan duro como el que recibe un muchacho con pocos recursos cuando estudia una carrera. Si los jóvenes de pocos recursos tomaran conciencia de que son personas a las que el destino las está poniendo a prueba, si se dieran cuenta de ello y no sintieran lástima de sí mismos, "esta gente no llegará a ser millonaria no porque carezca de capacidades, sino porque su mente no puede ver más allá de la realidad hostil que vive hoy"

muchos de esos chicos alcanzarían una riqueza que nunca se han imaginado. El problema está en que perciben la oportunidad como desgracia y no como un proceso forjar su carácter. Esta mentalidad es fundamental para el mundo de los negocios. Las estadísticas indican que los ricos de primera generación tuvieron una infancia o adolescencia con bastantes penalidades materiales. Así lo asegura Oprha Winfield, quien es hoy la mujer más rica de la televisión de Estados Unidos y su infancia tuvo un camino de limitaciones y carencias extremas. Muchos jóvenes de escasos recursos se arriesgan menos por la influencia devaluada de la realidad en que viven. Muchos son notablemente inteligentes y no pueden traducir ese talento en riqueza porque no se ven a sí mismos como futuros millonarios.

Esta gente no llegará a ser millonaria no porque carezca de capacidades, sino porque su mente no puede ver más allá de la realidad hostil que vive hoy en su colonia marginada viajando en camión. Si usted duda de lo que estoy diciendo, tome una hoja de papel y haga una lista de personas ricas que en los últimos veinte años forjaron su fortuna ellos mismos sin ayuda de sus padres.

Piense en su ciudad o en su colonia y en el número de ricos que hace algunos años no tenían nada e inclúyalos en la lista. A diario me sorprendo al escuchar nombres de nuevos dueños de empresas, de personas que nunca había escuchado antes. Estamos en el tiempo de las oportunidades; debido a que hoy no existe una relación de padre millonario = hijos millonarios. Ya los grandes capitales no duran tantas generaciones. Cuando termine esta lista ponga su nombre al final de la columna, porque usted será el próximo si construye su mente de millonario.

Recuerde que no importa cuánto desee su estabilidad económica, usted necesita transformar su mente, debe ver la oportunidad que la vida le está poniendo enfrente para aprender a forjar su carácter, su persistencia y su fe en sí mismo. La situación no lo hace menos, ¡es usted el que se siente así! Su mente no es diferente de la de ningún multimillonario; la diferencia está en la realidad económica en que vive el día de hoy y que limita su mente.

Déjeme contarle la historia del cómico estadounidense Jim Carrey. Es uno de los ejemplos más elocuentes de lo que estoy diciendo. Jim Carrey fue hijo de un matrimonio que se divorció cuando él era pequeño, vivió con su padre, que era un jornalero adicto al alcohol. La mayor parte de su juventud la vivió en una cámper muy vieja porque no podían pagar la renta de un departamento. Su padre cambiaba constantemente de ciudad y de trabajo (debido a su alcoholismo no duraba mucho en las fábricas). Cuando era adolescente, Jim comenzó a actuar haciendo reir a la gente en bares hasta que un día pudo llegar a Los Ángeles.

Una noche, Jim subió a un mirador conocido en Hollywood, desde donde se observa una vista panorámica de la ciudad de Los Ángeles y allí, sentado en su viejo auto, solo, se hizo un cheque a su nombre por diez millones de dólares que algún día cambiaría cuando se hiciera millonario. ¿Se imagina usted por un instante que un pobre actor desconocido, sin dinero como él, pensara en una cifra de ese tamaño?

Así fue. Hoy es unos de los cómicos mejor pagados de Hollywood. Cobra más de veinte millones de dólares por película. Este joven, con mentalidad de triunfador, llegó tan alto porque pasó quizá por lo que usted o muchos están pasando hoy, pero no lo ven como oportunidad, lo ven como una carga. Sin embargo, Jim Carrey luchó por lo que más quería y lo logró.

Este joven actor nunca se vio disminuido ni humillado por ser pobre. Nunca lo vio como limitación. Nunca pensó que su pobreza era una desventaja para competir contra los jóvenes ricos de Hollywood.

El camino para ser millonario se construye con ayuda de una mente que permita ver las oportunidades mientras los demás ven en la pobreza una limitación y no una escuela. Pocos pueden entender que la pobreza es una gran oportunidad que tiene un ser humano para construir su fuerza de carácter, para llegar a ser lo que quieren.

Si usted es una persona con escasos recursos y aún no me cree, le voy a contar otra historia increíble.

Una historia de éxito

La convicción de transformar las limitaciones en oportunidades

Felipe López Hernández, un zapoteca que vive en Beverly Hills, se levanta todas las mañanas para ir a su trabajo como investigador en la Universidad de California, en Los Ángeles, ubicada en la exclusiva zona de Beverly Hills.

Felipe pasó su infancia en San Lucas Quiaviní, en Tlacolula, Oaxaca (¡espero que lo encuentre en el mapa!). Empezaba su jornada a las cinco de la mañana, junto con sus siete hermanos, y se iban a trabajar a la milpa. Primero, les daban de comer a los bueyes y luego se dirigían al campo.

—Lo que cultivábamos —dice Felipe— sólo nos daba para comer. Estudié la primaria, pero a los diez años la dejé y se me olvidó el español, ya que en mi pueblo sólo se hablaba zapoteco.

Tampoco necesitaban el español para vivir. En 1978, a los dieciséis años, se unió a otros paisanos y se fueron a Tijuana. Llegó un viernes y pasaron la frontera el sábado, porque ese día no había muchos agentes de la migra.

—Yo no hablaba español y me costó negociar con el *pollero* para que me pasara —cuenta Felipe—. Cuando llegué a Estados Unidos muchos compatriotas se burlaban de mí y me decían que era un indio menso que no sabía español. Conseguí un trabajo de lavaplatos en un restaurante chino. En ese lugar yo hablaba zapoteco, otro de Sinaloa hablaba español, los dueños eran chinos y los clientes hablaban inglés.

Me inscribí en la primaria para adultos, que luego tuve que abandonarla porque hablaba inglés, pero no sabía escribirlo. Entonces, me compré un libro y, solo en mi cuarto, empecé a aprender a escribir inglés.

Terminó la secundaria y el bachillerato. Gracias a ello, consiguió un puesto en un restaurante francés.

—Con el dinero que ganaba cursé una carrera universitaria que inicié en 1991. Finalmente, resolví mi problema migratorio —dice Felipe—. Estudiaba de las siete de la mañana a una de la tarde, y trabajaba en el restaurante francés desde las tres de la tarde hasta las once de la noche. De madrugada estudiaba.

Gracias a sus buenas calificaciones obtuvo una beca que le permitió estudiar un posgrado y obtener un trabajo como investigador en la misma universidad.

En 1993 elaboró el primer diccionario zapoteco-inglés/español-zapoteco. Ya salió a la venta y es el único diccionario de este tipo en el mundo.

Éste es un caso que le demuestra a usted que la limitación del ser humano no está en la realidad económica en que vive, sino en la forma en que ve esa realidad.

Estoy seguro de que hay muchos individuos inteligentes y talentosos como Felipe López que no son exitosos ni millonarios por su forma de pensar, no por la falta de oportunidades ni por su limitación económica.

Hay otros ejemplos, como el de Andrés Bermúdez Viramontes, mejor conocido como el Rey del Tomate, quien después de haber sido inmigrante en Estados Unidos se hizo millonario vendiendo tomates y hoy es alcalde panista de Jerez, Zacatecas, su ciudad natal.

Si después de leer estas dos historias usted, como joven, no cree que pueda ser millonario en los próximos quince años, regálele este libro a otra persona que sí crea en ella misma y no se sienta limitada por la realidad económica en que vive. Si tiene hijos, aproveche esta oportunidad de construir en ellos una mente de millonario, siempre hay tiempo.

Si desea más información sobre el tema del manejo del dinero, consulte la página de Condusef: www.condusef.gob.mx.

Consejos para el próximo lunes

1. Hable con sus hijos acerca del dinero.
2. Asesore a sus hijos en los tipos de inversiones que existen.
3. Cree conciencia de los gastos del hogar, independientemente de la edad de sus hijos.
4. Edúquelos en cómo administrar su dinero a muy temprana edad.
5. Evite que sus hijos tengan sus actuales hábitos compulsivos de compra.
6. Sus hijos deben ganarse todo el dinero que usted les proporciona. ¡No se lo regale!
7. Enséñeles contabilidad básica a muy temprana edad.
8. Eduque a sus hijos a administrar mensualmente su dinero, no semanalmente.
9. Sus hijos deben conocer el impacto del trabajo en la economía personal.
10. No les compre todo lo que sus hijos quieran sólo porque sus amigos lo tienen.

CAPÍTULO CINCO

La mente del *millonario en acción*

¡su *limitación* son las viejas ideas!

"Si desea continuar viviendo en una sociedad que usa el dinero como instrumento de intercambio, le aconsejo aprender a manejarlo".

ANTES DE QUE INICIE la lectura de este capítulo lo invito a que se pregunte si realmente desea tener independencia económica y sacrificarse por lo que ello implica. Si compra billetes de lotería o acude con los adivinos para que le pronostiquen la suerte, le lean la mano, la arena o las cartas, o reza a diario pidiéndole a Dios que le ayude a conseguir el dinero que no tiene y pagar las deudas que lo agobian, entonces, éste no es un capítulo que pueda interesarle. Recuerde que su salud financiera no será producto de su impulso por comprar, así que debe empezar a desarrollar un plan para ajustar sus finanzas y comprometerse seriamente en ello. La riqueza no es un don espiritual o divino, sino una disciplina terrenal que requiere conocimiento. Los resultados económicos son producto de la puesta en marcha de su visión económica. Recuerde que el éxito no es un accidente: es imperioso desarrollar sus habilidades personales para volverse rico.

La mayoría de las personas no se transforman en personas ricas. Más de 80 por ciento de la gente sólo se dedica a trabajar día tras día, esforzándose para pagar sus deudas y haciendo malabares para extender el sueldo hasta fin de mes. Seguramente ése también fue un modelo que aprendió en su casa o del marketing televisivo.

No importa la situación económica en la que usted se encuentre ahora, todos tenemos el potencial de construir nuestra riqueza. En cuanto adquiera los conocimientos básicos y desarrolle las habilidades para dominar ciertas técnicas, usted podrá crecer financieramente. Pero no pretenda que la suerte sea su única aliada para construir lo que a usted le corresponde desarrollar, trátese de destrezas, habilidades, conocimientos y estudios en la materia. El logro de la riqueza exije un plan y eso depende de usted y de nadie más. El dinero se acumula cuando uno trabaja para dominar los principios que rigen la lógica financiera. No se necesita mucha inteligencia pero sí conocimiento, disciplina, reflexión y tiempo invertidos. Si hoy no se encuentra en la ruta financiera que anhela, no se preocupe, eso es muy común en las personas. Seguramente, como muchos otros, usted emplea su dinero para tener un nivel de vida cómodo, que le permita ser propietario de su casa o su automóvil, o vacacionar, comprarse ropa y otros productos que simbolizan el estilo de vida que a usted le gusta. Sin embargo, las personas que piensan como ricas tienen un modelo exactamente opuesto: primero crean sus activos y luego construyen su estilo de vida. No sustentan su realidad económica en la apariencia social, sino en realidades tangibles que los respaldan.

Le indicaré los primeros pasos que debe dar para construir los cimientos. No es posible construir riqueza sin buenos principios. Aprender las leyes que rigen la acumulación de dinero requiere de incorporar en su mente ciertos hábitos que lo llevarán a aplicar dichos principios. En el mundo del dinero "no basta con estar en el

lugar indicado y en el momento indicado, sino que usted necesita ser la persona con la mentalidad indicada, en el lugar indicado y en el momento indicado". Su forma de pensar lo inducirá o lo alejará de la posibilidad de lograr su independencia económica. En suma, sus creencias son pieza clave para determinar su nivel de éxito económico. "Su nivel de ingresos será una extensión de su modelo de pensamiento". Este capítulo será sólo el comienzo de un largo camino que deberá recorrer para adquirir solidez en sus conocimientos, para pensar y construir la riqueza personal que usted se merece. Veamos los cuatro grandes pasos que debe dar para iniciarse en el camino hacia una mentalidad de millonario.

Primer paso. Cambie el paradigma que aprendió

Sin duda usted ha escuchado historias acerca de personas que han fracasado financieramente, o que tenían mucho dinero y luego lo perdieron todo, o que aprovecharon las grandes oportunidades que se les presentaron pero luego todo terminó en un fracaso, o que heredaron una fortuna pero que ello no impidió que todo terminara en una gran crisis. Esto sucede porque quien comienza a tener mucho dinero pero no está listo para ello, seguramente tendrá una felicidad temporal puesto que su mente no puede administrar lo que no sabe y perderá su dinero. Un ejemplo evidente es el de aquellos que ganan la lotería. Diversas investigaciones han confirmado que, sin importar el monto de lo ganado, al final la mayoría regresa al nivel económico que tenía, es decir, a la cantidad que su mente está habituada a manejar sin temor. Por el contrario, como consultor he visto a varios ejecutivos que han forjado su riqueza con el tiempo, pero a diferencia de los anteriores, si éstos pierden su dinero usualmente regresan en poco tiempo al nivel económico que habían logrado forjar con su esfuerzo. Ése fue el caso del renombrado constructor neoyorquino Donald Trump, quien no hace mucho tiempo tuvo una deuda de 750 millones de dólares y, con gran destreza, volvió a ser uno de los hombres más ricos. Su mente se mueve en niveles de miles de millones, no de millones. En muchas ocasiones ha demostrado ser una persona que no le teme a los riesgos. No importan los tropiezos, él puede comenzar nuevamente. Gracias a sus conocimientos financieros y siguiendo un sistema que funciona, Trump pudo regresar a la senda del éxito económico una y otra vez. Conozco también el caso de un hacendado en Ciudad Delicias, Chihuahua, una zona desértica del norte de México. En 1995 la gran crisis económica del país lo sorprendió, como a muchos otros, con numerosas deudas, por lo que fue a su institución de crédito a informar que entregaba en prenda su rancho, su ganado y su empacadora para cubrir los 20 millones de dólares que adeudaba. "A partir de hoy —dijo— soy su empleado que trabajaré para pagar mi deuda con ustedes". Tres años después había saldado su deuda, recuperó sus bienes y hoy tiene un capital tres veces mayor de lo que poseía antes de la crisis. Ésta es la mentalidad de quien piensa como millonario y, por ende, es capaz de resurgir de las cenizas de la derrota financiera.

En este capítulo le presentaré un sistema paso a paso para iniciar el camino que lo lleve a incrementar sus ingresos; la cantidad depende de usted. Para ello es necesario que cambie su definición del dinero. Ante todo, debemos comprender que el dinero es sólo una herramienta. Si usted no tiene un propósito definido, no tendrá la motivación para aprender cada día cómo manejarla o buscar asesoría técnica al respecto. No hay mayor transformación que aquella que proviene de la persona que usted desea llegar a ser. No olvide que todas las cosas en la vida se crean dos veces: una mental y otra física. La creación mental es primero. Usted debe saber a dónde quiere llegar económicamente antes de obtener su riqueza. Es cierto que el dinero no lo es todo, pero tiene un impacto mayor que cualquier otro factor en prácticamente todas las cosas de la vida. Imagínese por un instante un árbol que representa el árbol de su vida. En ese árbol hay frutos, y en la vida los frutos son los resultados. Si sus resultados económicos no son los usted quiere, no ponga más atención en los frutos. Debe entender que lo que crea más frutos son las raíces. Éstas se encuentran bajo tierra, no son visibles, pero lo invisible produce lo visible de la vida. En síntesis, si usted quiere tener mejores resultados económicos debe cambiar las raíces de su pensamiento. La solución no sólo radica en trabajar más para acumular más. Usted no puede cambiar los frutos que actualmente cuelgan del árbol, pero sí puede cambiar los frutos del futuro con sólo reflexionar en sus raíces. El cambio económico vendrá cuando usted cambie las raíces de su modelo de pensamiento actual acerca de cómo acumular dinero. No olvide que el dinero es un resultado, como también lo es su riqueza, su salud, su enfermedad y hasta su sobrepeso. Vivimos en un mundo de causa y efecto. El dinero es efecto pero la causa está en sus raíces, en su paradigma, en su modelo mental acerca de cómo hacerse rico. En el fondo, 90 por ciento de nuestras raíces es una imitación de nuestros padres. Hacemos lo mismo que ellos hicieron. Si usted cree que trabajando mucho se obtiene más dinero y eso fue lo que hicieron sus padres, ésa será su orientación para crear riqueza. Si usted fue educado para estudiar mucho, buscar un buen trabajo en una buena empresa y hacer carrera dentro de ella, buscará la seguridad de un empleo como el único recurso para crear su riqueza. En un empleo podrá acumular el dinero que pueda, mismo que sólo podrá utilizar a partir de los cincuenta y cinco años de edad o treinta y cinco años de trabajo,cuando tenga el cabello gris y mermadas las fuerzas. Por ello debe cambiar su forma de ver el dinero. En esta época de la información y la tecnología, puede volverse un joven inversionista que toma riesgos calculados sin esperar a que pasen treinta y cinco años para tocar su

"debe aprender a invertir sus excedentes y no sólo a gastarlos"

dinero del retiro. No importa si usted es empleado, profesionista, empresario o comerciante. Debe aprender a invertir sus excedentes y no sólo a gastarlos. Olvide las limitaciones mentales que le impiden crear su riqueza personal. Por ejemplo, hay creencias sociales que limitan nuestra acción, como: "El dinero es la causa de todos los males", "Todo por culpa del cochino dinero", "Uno debe vender el alma por el dinero", "Lo que tú no hagas nadie te lo pone en el bolsillo", "Mis padres siempre pagan mis gastos". Éstas son formas limitativas de ver la trascendencia económica. Los seres humanos tenemos paradigmas que gobiernan el modo en que movemos el dinero. Debe, pues, reajustar su pensamiento acerca de él. Es como un reacondicionamiento físico; para construir los músculos de su dinero tiene que desarrollar un plan y encontrar un buen asesor que lo guíe para ejercitar aquellos músculos que ya estaban atrofiados y saboteaban su salud económica.

> "cuanto más consciente esté de los conceptos que controlan su mente, más fácil será cambiarlos"

Usted debe identificar los mensajes que aprendió sobre las finanzas y hacer un pequeño reconocimiento de ellos. Cuanto más consciente esté de los conceptos que controlan su mente, más fácil será cambiarlos.

Piense en los siguientes conceptos:

◊ ¿Cuál era la forma de pensar de sus padres y su familia acerca del dinero?
◊ ¿Eran personas que siempre vivieron agobiadas por el dinero?
◊ ¿Eran muy gastadoras y le daban todo lo que usted quería?
◊ ¿Tenían mucho miedo de quedarse sin dinero?
◊ ¿Nunca hablaban de dinero frente a usted?
◊ ¿Le enseñaron que debía sacrificarse para ganar dinero?
◊ ¿Aprendió que debía conseguir un buen empleo para ganar buen dinero?
◊ ¿Eran personas que aprendieron a invertir su dinero?
◊ ¿Eran padres conservadores?

¡Reflexione en los patrones de conducta que incorporó en su vida y que hoy lo están limitando!

Ahora lo invito a que escriba en el siguiente cuadro los aspectos que, en relación con el mundo del dinero, sabotean su mente y desea eliminar, así como los que desea aprender. En la parte inferior, escriba las cosas que desea continuar haciendo y las que desea lograr.

actividad

Deseo eliminar	Deseo aprender
Deseo mantener	Deseo lograr

Este cuadro le ayudará a definir sus prioridades en materia de dinero y lo que éste significa para usted. Copie el cuadro en una tarjeta que pueda llevar en su billetera o en algún lugar de su automóvil donde pueda verlo a menudo. Con el tiempo irá mejorando la lista y eliminando algunas cosas que escribió en un principio. Ello contribuirá a desarrollar su mente de millonario, y también a construir los fundamentos que harán que sus sueños se vuelvan realidad.

Segundo paso. Analice su situación actual

La única forma de determinar hacia dónde ir es identificando primero en qué lugar se encuentra. Si no sabe dónde se encuentra, cualquier decisión que tome será un supuesto que fácilmente lo puede llevar por un camino equivocado. Podrá tener suerte algunas veces, pero al final terminará perdido. Debe comenzar por realizar un inventario de su dinero. Una vez que sepa dónde está podrá tener el control de su realidad económica. Sólo así podrá iniciar su crecimiento hacia la riqueza que desea. Una vez que sepa usted a dónde va su dinero podrá pensar en planear su futuro.

Lo invito a que analice su situación actual con base en los siguientes aspectos:

1) Establezca un sistema de administración personal.
2) Haga un minucioso estado de pérdidas y ganancias.
3) Haga un balance personal de su riqueza actual.

1. Administración personal

Si usted tiene papeles regados por toda la casa, sobres sin abrir, requerimientos del banco, recuerde que no es el único. La mayoría de las personas son desorganizadas y no tienen, un sitio en donde guardar sus documentos relacionados con el dinero. Primero lo invito a recoger todos sus papeles. Después, separe los papeles por categorías. Por ejemplo:

◊ *Banco*. Chequeras, ahorros, estados financieros, cajas de seguridad, etcétera.
◊ *Gastos*. Tarjetas de crédito, teléfono, agua, luz, gas, cable, etcétera.
◊ *Documentos legales*. Automóvil, títulos de propiedad, contratos, etcétera.
◊ *Seguros*. De vida, de salud, del automóvil, de la casa, etcétera
◊ *Ahorros*. Estados de cuenta, inversiones, certificados de valores, fondos de ahorro, etcétera.
◊ *Impuestos*. Pagos de años anteriores, impuestos parciales pagados, etcétera.
◊ *Gastos de la casa*.Mantenimiento, reparaciones, jardinería, etcétera.
◊ *Documentos personales*. Acta de nacimiento, de matrimonio, pasaporte, licencia, etcétera.

Compre un archivero con separadores para poner todas las categorías y las que desee agregar. Haga que el sistema sea lo más sencillo posible. Ponga un separador para el año actual. Divida los documentos por años anteriores. Haga una lista en la computadora de los documentos que tiene, de tal forma que usted sepa dónde encontrarlos. Entréguele una copia a su esposa y otra a algún familiar o a su abogado.

2. Estado de pérdidas y ganancias

Cuando usted les dé seguimiento a sus ingresos y egresos mes con mes, notará la facilidad con que podrá conocer cuánto gana o pierde. Ello le permitirá tomar decisiones y hacer cambios en sus hábitos de consumo y de egresos en general.

Para hacer su inventario de ingresos y egresos puede recurrir a las páginas web que existen en el mercado, como las de Quicken (www.quicken.com) y Microsoft Money (www.microsoft.com/money).

Realice el siguiente inventario personal:

INGRESOS		GASTOS	
Concepto	*Cantidad*	*Concepto*	*Cantidad*
Salario		Impuestos	
Comisiones		Gastos de casa	
Trabajos extra		Gastos de auto	
Otros		Seguros	
		Comida, supermercado	
Ingresos de activos		Médico	
Renta de la casa		Hijos	
Inversiones		Extras	
Retornos de impuestos		Otros	
Total de ingresos $ ______		Total de gastos $ ______	
INGRESOS – GASTOS = Total de efectivo que tiene para invertir o ahorrar.			

¿Cómo se siente ahora que ha hecho su estado de pérdidas y ganancias. ¿Está sorprendido? No hay duda de que se lo imaginaba, puesto que lo ve mes con mes, aunque no haga este análisis sistemáticamente. Lo importante es que ahora sí se encuentra en el camino correcto. Conoce la verdad y ése es el primer paso que debe dar. Ahora puede comenzar a trabajar para incrementar sus ingresos.

Cuando realice este ejercicio sea lo más detallado posible. Hágalo todos los meses. En la columna de ingresos se encuentran los ingresos de activos que consisten en los ingresos por inversiones y rentas; si fluctúan mes con mes, haga un promedio de los últimos seis meses.

3. Balance personal

Este balance personal le revelará cuál es el monto de la riqueza que posee, así como sus hábitos de gastos y ahorros. Le mostrará todos los activos que tiene y todas sus deudas. En todos sus activos debe incluir la totalidad de lo que posee. Asimismo, en las deudas debe incluir todo lo que debe, ya sea en tarjetas de crédito o créditos bancarios. Si tiene varios negocios o comercios, haga una hoja diferente por cada uno.

Activos			Deudas	
Concepto	Cantidad		Concepto	Cantidad
Total $	________		Total $	________
Activos – Deudas = Total de riqueza acumulada				

"no permita que sus sentimientos interfieran en su capacidad para tomar decisiones financieras"

Cuando haya completado esta lista piense cómo se siente. ¿Es éste el perfil económico que desea para su vida? Al llenar la lista del estado de pérdidas y ganancias y la hoja de balance, piense racionalmente en las cosas que gana, gasta, tiene y adeuda. Es un proceso lógico cuantitativo, no emocional. Se trata de dos documentos a los que debe ingresar información, datos, realidades. Desafortunadamente, 90 por ciento de las decisiones económicas son emocionales, porque adolecemos de información financiera. Como consecuencia, tomamos decisiones económicas basadas en sentimientos y no en datos duros y fríos. El dinero maneja nuestras emociones sólo cuando le damos un significado y no lo tratamos como una herramienta de intercambio. Las emociones no permiten tomar decisiones racionales. Por ello, no deje que los sentimientos interfieran en sus decisiones financieras.

Ahora que usted tiene la información básica de su situación económica puede tomar decisiones orientadas en otra dirección. Debe pensar si sus activos ingresan más dinero a su banco o sólo significan pérdidas para usted; comprender cuánta riqueza posee y saber exactamente cuánto ingresa y cuánto gasta mes con mes. Si ha completado estos tres pasos, tiene la oportunidad de determinar cuál es su visión económica.

¿cuál es su *visión* financiera?

"Si su objetivo es la seguridad económica es posible que lo alcance. Pero si su interés es ganar más dinero para gastar más, jamás alcanzará dicha seguridad".

POCAS PERSONAS se hacen ricas por el mero hecho de acumular riqueza; en general tienen un motivo que las impulsa. La riqueza es el vehículo que les proporciona lo que quieren en la vida. La riqueza surge de una convicción profunda que impulsa a las personas a la acción, a ser consistentes, metódicas, dedicadas, estudiosas de la materia. Sin ser lo más importante de nuestra vida, el dinero nos permite alcanzar muchos de nuestros anhelos. La visión que desarrolle en sus metas lo mantendrá en el camino hacia la independencia económica. Lo hará tener orden, disciplina y estar enfocado en sus prioridades. Desarrollará una pasión y una motivación hacia el logro de sus objetivos.

En la introducción del libro expresé que mi interés por escribir sobre este tema surgió de la observación de los miles de líderes que he conocido. Los hábitos que tienen para dirigir sus empresas son los mismos que utilizan para dirigir su vida económica. Los líderes se caracterizan por tener una visión clara de lo que desean y trabajan con insistencia en ello. Tal como dice en uno de sus libros el famoso conferencista en temas gerenciales Tom Peters, los líderes son seres apasionados. La pasión surge del deseo más profundo por llegar a ser, tener o hacer en su vida. Los líderes desarrollan en su mente la visión económica que les da energía y pasión por lo más preciado para su proyecto económico. También son buenos para transformar esa visión en metas concretas. La separación de dicha visión en una serie de actividades con fechas límite es la clave de su éxito. Si usted desea construir su liderazgo financiero le recomiendo establecer metas claras, tangibles, alcanzables y que representen lo más profundo de sus anhelos. Pero debe tener fechas límite. Las metas en la vida se alcanzan paso a paso, tal como hacen los bebés. Cada paso es un momento de aprendizaje y de avance hacia su meta. El proceso es racional, lógico, medible, y depende de cuánto conozca acerca del dinero y de las oportunidades que existen en el mercado para ello. Otro factor que distingue a los grandes líderes es su capacidad de ejecución. Nunca se dan por vencidos. Por lo tanto, trabajar en la ejecución de su plan financiero es su responsabilidad, es su decisión. La falta de conocimiento acerca del dinero no puede ser la limitación de su riqueza económica. No debe justificarse por su inhabilidad con los números o por su indisciplina. Ésas son excusas que sólo deterioran su autoestima y justifican su pobreza económica, entendida como derroche, sobresaturación de deudas, incapacidad para ahorrar e invertir sus excedentes y estudiar acerca de los cientos de instrumentos de inversión que ofrecen los bancos y toda institución financiera para que usted acumule. No permita que su ignorancia financiera interfiera en su visión de vida, en su estabilidad económica y en el proyecto de vida que tiene para su familia. Usted merece tener un respaldo económico para cuando lleguen los años de inactividad laboral. No lo justifique ni espere vivir como dependiente toda su existencia con el apoyo de sus hijos, del seguro social o de la jubilación. Conviértase en un ser independiente, tome sus decisiones con libertad y no viva con lo mínimo que le puede ofrecer la vida. No construya una dieta en su mente financiera. Tenga una mentalidad de abundancia que amplíe su rango de acción en el ámbito económico.

Empiece por escribir la visión de su vida económica y las metas que ha identificado para hacerla realidad:

actividad

Visión de mi vida económica

____

____

Metas específicas para hacer realidad mi visión

1. ______________________________________
2. ______________________________________
3. ______________________________________

Ahora determine el nivel de prioridad de estas metas y ponga una fecha límite de inicio y término para cada una. Nombre a su mentor en el ámbito económico. Deberá encontrar un gerente de banco, un asesor financiero, un asesor de seguros, un amigo rico, un contador o un financiero que lo oriente en los principios básicos del manejo de su dinero. No se preocupe por su nivel económico. Los bancos reciben desde cinco dólares en adelante. Sólo recuerde que si usted no da este paso su proceso no iniciará. Debe quitar el velo que nubla su destreza para el manejo del dinero. Edúquese, estudie, analice, reflexione y tome decisiones. Sea un buen ejecutor de sus metas. ¡Atrévase a dar el primer paso!

el *diezmo* romano

"Es más fácil ganar más que acumular más".

UN PRIMER PASO para acumular dinero es tenerlo. La riqueza se construye cuando usted tiene algo que acumular en una cuenta, en un instrumento de inversión; hasta antes de ese momento sólo serán buenos deseos. Por ello, lo primero es abrir una cuenta bancaria para ahorrar. En la época en que Roma era el imperio más poderoso del mundo, los romanos demostraron que además de ser excelentes guerreros eran buenos para mantener a largo plazo la fuerza de su imperio. Ellos fueron los primeros en implantar en cada región o ciudad conquistada el pago mensual del diezmo, un impuesto obligatorio que recolectaban sus legiones en todos los territorios dominados. El diezmo equivalía a 10 por ciento de los ingresos de cada ciudad y era entregado al César mes tras mes. Gracias a este aporte económico, su riqueza

llegó a ser inmensa. A semejanza del Imperio Romano, lo invito a que abra una cuenta de ahorro para que mes con mes ahorre 10 por ciento de sus ingresos totales. Napoleón Hill escribió en uno de sus extraordinarios libros que 10 por ciento es el sueldo que debe pagarse usted mismo por trabajar todo un mes. Es la recompensa por el esfuerzo diario. Yo diría que el diezmo se traduce para usted en el gran paso que marcará la diferencia entre el "pensamiento" y la "acción". Es el primer paso que lo hará responsable de su independencia económica. Es una meta alcanzable, tangible y con fecha límite. Si usted gana 15,000 dólares mensuales ahorrará 1,500; a fin de año tendrá 18,000 dólares ¡Nada mal para un año!

Si usted invierte bien este ahorro tendrá al año un promedio de 20,000 dólares disponibles para invertir. Recuerde que no es tan importante cuánto ahorra, sino el hábito de hacerlo, mismo que le permitirá construir el fundamento de su riqueza para invertirlo en su futuro.

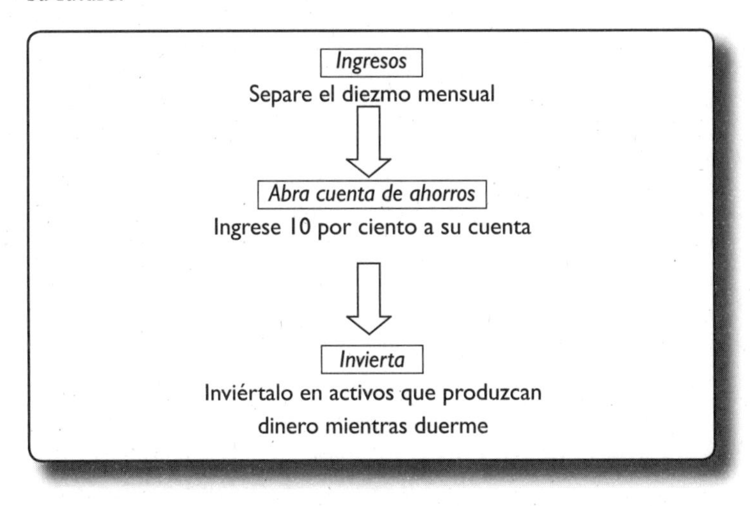

Si usted puede hacer que automáticamente se transfiera 10 por ciento de su sueldo a su cuenta de ahorro, será mucho mejor. Así forzará sus hábitos de ahorro. Cada mes notará lo agradable que resulta incrementar su dinero. La satisfacción de pagarse usted mismo por trabajar será inigualable. Recuerde que este sistema es de por vida, por lo que le sugiero que comience a crear este hábito en sus hijos. Empezar a ahorrar en etapas tempranas permitirá acumular más rápido y visulmbrar mejor su futura vida económica. Si usted no inicia de inmediato este hábito, pregúntese:

- ◊ ¿Soy feliz con mi situación económica?
- ◊ ¿Llevo el tipo de vida que deseo?
- ◊ ¿Mis anhelos económicos se han hecho realidad?
- ◊ ¿Tengo hábitos de ahorro para lograr mi independencia económica?

Recuerde que su forma de pensar determina su situación económica, de manera que si ésta es mala pero su forma de pensar permanece invariable, su situación económica no mejorará. Albert Einstein decía que locura es tratar de obtener resultados diferentes con el mismo modelo de pensamiento. Lo que usted necesita es incorporar sabiduría en sus decisiones. Debe iniciar con algo que esté al alcance de su mano para tomar decisiones económicas más inteligentes. La mayoría de las personas quieren mejorar su situación económica, pero sus malos hábitos se lo impiden. Un día, mientras manejaba mi auto, noté que adentro volaba una mosca que luchaba por salir. A pesar de que una de las ventanillas laterales estaba abierta, la mosca insistía en escapar por el vidrio delantero, chocando contra él una y otra vez. Tenía una oportunidad pero no encontraba el camino. Creo que, como la mosca, muchas personas desean salir de una situación económica adversa pero no encuentran el camino a pesar de tenerlo tan cerca. No saben dónde está la ventana abierta de las oportunidades. Le recomiendo que no aplique la misma estrategia económica para obtener mejores resultados. Debe buscar a su alrededor las oportunidades que existen para invertir su dinero, puesto que a lo largo de su vida ha sido educado para gastarlo y se ha vuelto un experto en ello.

¡un *sándwich* y un *café* lo hará rico!

"Los ricos usan principios universales que todos conocemos para amasar fortuna".

A DIARIO, la mayoría de los seres humanos gastan mucho dinero en cosas de poca trascendencia. Por ello, en este apartado trataré de incorporar en su mente la conciencia del "poder de lo superfluo". Las cosas más simples tienen más poder del que usted cree. un buen número de personas piensan en los grandes gastos para ahorrar y no en los pequeños que drenan su economía. Tengo un amigo que está pasando por una situación económica difícil y lo primero que se le ocurrió fue vender su velero para pagar sus deudas. Ésa es la decisión más fácil que pudo haber tomado, porque con ello salda sus deudas de un tajo y hasta le sobra dinero que seguro lo gastará. Si pensara detenidamente en los gastos cotidianos y rutinarios que puede reducir, se daría cuenta de que podría pagar sus deudas en más tiempo pero con menos sacrificio. Sin duda, mi amigo debe tomar conciencia de cómo los pequeños gastos pueden crear riqueza en el largo plazo. Si usted también pensara en ello, entendería que debe tener hábitos de control para hacerse rico. En uno de sus libros, Donald Trump explicó cómo había hecho su fortuna. Por ejemplo, en los inicios de su carrera empresarial se acostumbró a utilizar el teléfono público y no el teléfono celular. El ahorro anual de miles de llamadas telefónicas era enorme. Se decía a sí mismo: "¿Por qué regalar mi dinero? No tengo que demostrarme nada". Los gastadores juzgarían a Trump como un avaro en lugar de pensar que es un hombre consciente de que puede utilizar un sistema de ahorro que está a su alcance sin sacrificio alguno. ¿Ha pensado utilizar el teléfono de su oficina en lugar de su celular? Con ello reduciría notablemente su pago mensual de teléfono. Ahora veamos qué nos trajo a este tema del "sándwich con café", un concepto simple pero muy poderoso. Lo invito a que analice los gastos que tiene a diario durante sus horas de trabajo. Tome una hoja de papel y haga una lista de sus gastos rutinarios, como café, donas, sándwiches, capuchinos, desayunos, etc. Antes le contaré la anécdota de un empleado que tomó la decisión de no consumir más en la cafetería y empezó a llevar de su casa un sándwich y un termo de café. Con ello se ahorraba 8 dólares al día. Imagine que a diario usted compra en la cafetería un sándwich y un café. Su gasto equivaldrá a 8 dólares por día, o 200 dólares al mes si trabaja veinticinco días y a 2,400 dólares al año. Pero si usted agrega dulces y otros gastos superfluos seguro gastaría 10 dólares diarios. Al mes serían 300 dólares y al año 3,600 dólares. Si usted ahorrara esta cantidad para su retiro, a una tasa de interés de 15 por ciento anual, en treinta y cinco años tendría casi medio millón de dólares adicionales. ¡Increíble!, ¿verdad? El ejemplo del sándwich con café ilustra la manera superflua en que gastamos nuestro dinero sin darnos cuenta. Seguramente usted gasta mucho más de lo que tiene conciencia. Si no lo cree, calcule cuánto gasta en refrescos, cigarrillos y otros antojos. Lo invito a que cuanto antes suprima sus gastos superfluos e incorpore en su vida la mentalidad del "sándwich con café". A largo plazo tendrá el dinero adicional que necesita para acumular su riqueza. No importa si hoy no tiene dinero para invertir a causa de su modelo consumista, aún está a tiempo de revertir su mentalidad hacia una cultura de ahorro para crear masa crítica inicial y comenzar la rueda de su fortuna.

Haga una lista del dinero que gasta adicionalmente cada día y establezca un hábito de ahorro que aplicará a su cuenta de ahorro del diezmo.

El poder de lo superfluo		
	Gasto diario	*Ahorro superfluo*
Lunes	$	$
Martes	$	$
Miércoles	$	$
Jueves	$	$
Viernes	$	$
Sábado	$	$
Domingo	$	$
Ahorro total de la semana: $		
Multiplique la cantidad por las 52 semanas del año. Total: $		

¡Ahórrelos!

el *síndrome* del hámster

"Si somos prisioneros de nuestras emociones, seremos víctimas de los créditos".

He afirmado reiteradamente que sus ingresos no tienen influencia decisiva en la riqueza que acumula. Si aún lo duda, pregúntele a cualquier compañero que haya tenido un buen aumento el año pasado cuánto ahorró como consecuencia del incremento. En la mayoría de los casos la respuesta será negativa. ¿Por qué los seres humanos actuamos así? La razón evidente es que cuanto más tenemos más gastamos, y los ingresos desaparecen. Los gastos siempre se adaptan a los ingresos, lo lamentable es que aquéllos siempre son mayores que éstos. Así es como comenzamos a incorporar en nuestra mente el síndrome del hámster.

Si usted ha tenido un hámster como mascota, habrá observado que estos animalitos son muy graciosos y activos. Necesitan una rueda para caminar dentro y ejercitarse. Cuanto más corren, más rápido gira la rueda. Al terminar el día podrían expresar: "¡Huy! ¡Cuánto trabajé el día de hoy!" En realidad no avanzan nada, pero es un hecho que corren mucho. Lo mismo pasa con usted: trabaja mucho pero el dinero no se ve. Antes de acabar el mes ya no tiene un centavo. La mayoría de las personas "trabajan por el dinero y para el dinero". Triste, ¿verdad? Es un vicio que no le deseo a nadie, ya que cuanto más rápido corra uno, más se cansará, pero nunca notará ningún avance. Cuando usted gasta más de lo que ingresa, no avanza, lo que aumenta son sus deudas, su estrés, su angustia, su tristeza, todo lo cual le garantizará una vida en la que nunca tendrá la libertad de elegir. Será prisionero de sus hábitos.

El síndrome del hámster aparece cuando usted sólo gasta en cosas que no producirán dinero. Adquiere bienes que no aumentarán su riqueza, sino al contrario. Eso pasa, por ejemplo, cuando se sumerge en el mundo de las tarjetas de crédito y la emoción lo mueve a decir *sí* a seis meses de crédito sin intereses. Los mercadólogos —casi médiums— saben perfectamente que la frase *seis meses sin intereses* es irresistible para la mente del consumidor, que la decodifica como ¡una ganga! Lo cierto es que no cuesta nada acumular deudas, ¡eso es gratis! La tortura comienza cuando la realidad corre el velo emocional y treinta días después le llega su estado de cuenta. Si usted sigue creyendo en las farsas de aquellos que quieren enriquecerse con su dinero, terminará muy pobre. Las compras impulsivas generalmente son adquisiciones que no sirven para acumular riqueza. La mayoría de lo que compramos no tiene valor de reventa ni mucho menos el propósito de acumular riqueza. Son compras que responden a impulsos emocionales y que, a largo plazo, deterioran su vida económica aunque no la material.

Lo material aprisiona al ser humano, sobre todo si no tiene una disciplina económica. Lo peor es que esta indisciplina financiera acabará convirtiéndose en un ciclo de deudas malas. El síndrome del hámster es un acto inconsciente y por ello es que usted no identifica fácilmente el impacto que tiene en su economía. El modelo de ganar mucho y gastar mucho incrementa sus deudas, pero la herida más grave es que no genera activos rentables para usted, y jamás sanará si no modifica su conducta.

Las personas con síndrome de hámster agudo piensan que, como tienen dinero, pueden comprar ilimitadamente. Pero en realidad lo que tienen es disponibilidad de crédito. Con el mágico poder de su tarjeta adquirirán nuevos televisores, cámaras de fotografía y video, aparatos para hacer ejercicio, juguetes, equipos electrónicos, etc. La tarjeta les hormiguea en la mano y ante tal impulsividad consumista no pueden detenerse. La ansiedad por comprar les resulta irreprimible. Este tipo de personas viven en un mundo de ansiedad. Por ejemplo, varias de ellas me han confesado que no pueden ir al club con un carro de segunda se ve mal. Si usted siente tal preocupación por la presión social, debe saber que ha caído en una trampa. Su adicción por comprar le habrá acarreado una gran cantidad de deudas malas, como ya explicamos en capítulos anteriores. Este tipo de deudas coartan sus recursos para construir su riqueza. Pero no se angustie, no todo está perdido: puede respirar profundo ante la certeza de que hay una la luz al final del túnel. Existe una forma de revertir la espiral descendente de su economía para eliminar sus deudas malas e incorporar un sistema de deudas buenas en su vida.

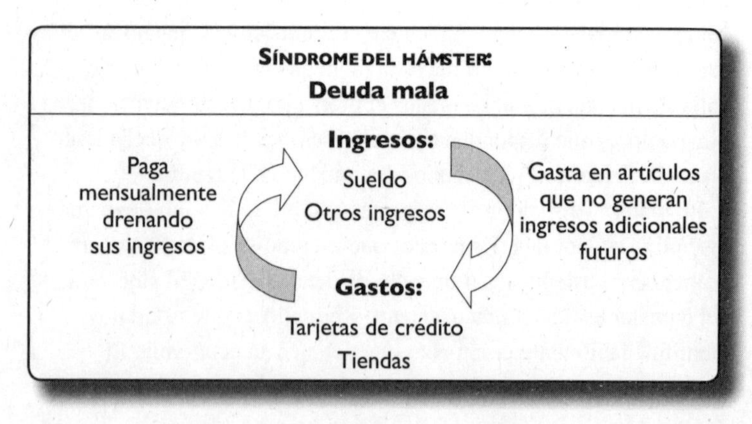

acumule riqueza con *deudas buenas*

"Los ricos serían muy felices si sólo fueran la mitad de ricos de lo que la gente supone que son".

Las deudas buenas se adquieren por medio de la compra de activos en los cuales usted invierte para producir un ingreso recurrente adicional. Estos ingresos son producto de la inversión en instrumentos financieros o inversiones en bienes inmuebles. Por ejemplo, una hipoteca es una deuda buena porque generará un ingreso debido a las rentas provenientes de la compra de algún inmueble para rentar o para mejorar las ventas de su comercio o negocio, ya sea para comprar materia prima, maquinaria o crear un nuevo negocio.

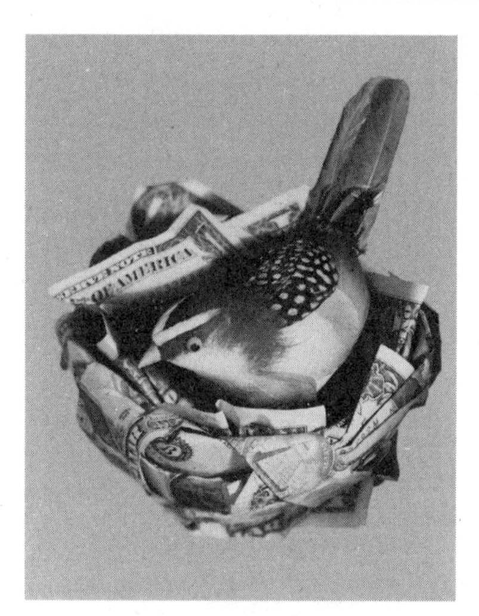

Este ciclo de creación de deudas buenas para invertir

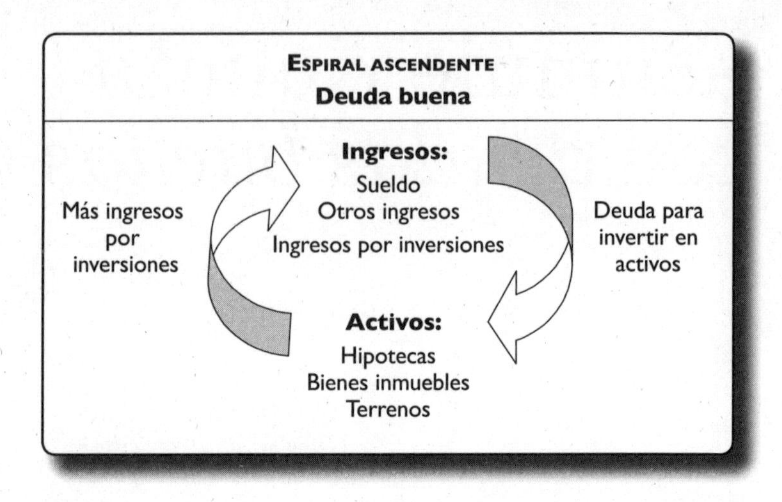

en activos que produzcan ingresos adicionales revierte el proceso de su economía en una espiral ascendente, sin límites. En los últimos años, a partir de la reducción sustancial de las tasas de interés de Estados Unidos, el negocio inmueble ha sido muy generoso. Hoy, el mundo se está vendiendo tanto en Europa como en Latinoamérica y Estados Unidos. La compra-venta de bienes inmuebles ha crecido como nunca. El proceso de especulación de comprar y vender o de comprar para tener una tasa de retorno mayor que la del banco es el nombre del juego que hoy prevalece en el mundo. Basta con darse una vuelta por las calles de Miami para constatarlo. Ni hablar de España, donde la especulación se ha disparado. Hoy una plusvalía de 120 por ciento en algunos países es posible en el negocio de los bienes raíces cuando se compra en el momento indicado. Así sucedió en Argentina tras la gran depresión. Y en México la construcción, así como la compra y venta, se ha convertido en un medio seguro para tener una mejor rentabilidad que la otorgada por los bancos. Es un riesgo bien calculado y no se necesita ser un experto, basta con tener información suficiente de las zonas y sus tendencias para calcular la plusvalía. Mientras en Estados Unidos se mantengan las tasas tan deprimidas, la compra-venta de casas seguirá siendo un mejor negocio que cualquier tasa bancaria. El mundo está en venta, es hora de comprar y vender.

> "si usted revierte la espiral de consumo por la espiral de inversión, su realidad cambiará radicalmente en pocos años"

Las deudas malas no le producen dividendos. Sus deudas se incrementan cuando compra productos de consumo para mantener un estilo de vida, no para incrementar su nivel de vida con mayores ingresos. Las deudas malas surgen cuando usted carga en su cuenta los gastos de vacaciones, entretenimiento, restaurantes, ropa, etc. Son gastos que lo elevan socialmente pero que no incrementan sus ingresos. Las deudas malas son engañosamente atractivas porque por lo general implican pagos más bajos pero tasas de interés más elevadas. Cuando usted paga el mínimo de su tarjeta sólo salda los intereses y muy poco o nada de su deuda. La mayoría de las personas están atrapadas en deudas de consumo. Pero si usted revierte la espiral de consumo por la espiral de inversión, su realidad cambiará radicalmente en pocos años.

Recomendaciones para comenzar su desintoxicación consumista:

1. Salga de la ruleta rusa de las tarjetas de crédito negociando su deuda con el banco y pague su deuda totalmente.
2. Financie de nuevo la deuda de su casa.
3. Haga un plan para disminuir progresivamente sus deudas.
4. Desarrolle el hábito del ahorro del diezmo.
5. Comience a revertir la espiral descendente incorporando deuda buena.
6. Reinvierta el excedente producido por su deuda buena.
7. Recurra a un experto en impuestos para planear una estrategia.
8. Invierta por lo menos tres horas al mes en la revisión de sus finanzas personales.

Recomendaciones para mejorar sus decisiones:

1. Lea libros sobre el tema y suscríbase a revistas de inversión.
2. Busque un mentor. Alguien exitoso económicamente.
3. Lea la sección financiera del periódico.
4. Vea los programas televisivos de finanzas.
5. Participe en cursos y seminarios sobre el tema.
6. Infórmese sobre las diversas alternativas de fondos de inversión.

Recomendaciones para diversificar sus opciones:

1. Bonos
2. Acciones
3. Bienes inmuebles
4. Metales
5. Recursos naturales
6. Fondos de inversión
7. Ahorros en instrumentos de inversión
8. Adquisición de su seguro de retiro

Si está dispuesto a correr más riesgos, recuerde las siguientes reglas:

1. Invierta poco en la primera etapa.
2. Sea un estratega de mercado, conozca las empresas.
3. Diversifique el riesgo.
4. Provéase de información detallada de sus resultados.
5. Calcule constantemente nuevas oportunidades de inversión.
6. Busque la asesoría de un experto.
7. No se limite a invertir solo en la bolsa.

Espero que haya encontrado en este capítulo la orientación suficiente para atreverse a cambiar su paradigma de pensamiento aprendido en el ambiente familiar o en el marketing. Siga los pasos que le indiqué para iniciarse en el camino de la acumulación de riqueza. Recuerde que será un camino arduo y lento. Deberá acercarse a los expertos para conocer día con día mejores formas de invertir sus excedentes. Cuando se transforme en un experto podrá tomar decisiones de manera independiente y juzgar las oportunidades con su criterio personal. Debe comenzar a saturar su mente con nuevos conceptos sobre la acumulación de riqueza que lo lleven a pensar como millonario. Si logra incorporar sistemáticamente estos principios, su vida cambiará de forma radical en los próximos dos años. Deberá disciplinarse y sacudirse el miedo a lo desconocido en materia financiera, que parece muy complejo y en realidad es bastante simple. Por el bien de su estabilidad y libertad financiera, le aconsejo que comience hoy mismo y al cerrar este libro determine el día y la hora en que va a comenzar. No olvide que postergar estas ideas retrasará el cumplimiento de sus anhelos económicos y su estabilidad.

Si desea cambiar la situación económica en la que hoy se encuentra le aconsejo aplicar una máxima de Albert Einstein en la que le propone llevar su mente a un nuevo nivel de pensamiento:

Siembra un pensamiento y cosecharás una acción.
Siembra una acción y cosecharás un hábito.
Siembra un hábito y cosecharás un carácter.
Siembra un carácter y cosecharás un destino.

Consejos para el próximo lunes

1. No construya un nivel de vida que lo mantenga agobiado en deudas.
2. Visite asesores financieros o banqueros a fin de que le informen de las opciones de inversión que tiene para el dinero de que dispone.
3. Sus temores e inseguridades acerca del dinero limitan su inteligencia financiera.
4. Desarrolle un sistema personal para mantener sus finanzas sanas.
5. Haga un plan para cuando se retire de su vida activa y viva de su dinero.
6. Retire 10 por ciento de su ingreso para invertir mes con mes.
7. Haga un inventario de los gastos superfluos que hace día con día, y ahórrelos.
8. Sólo tenga dos tarjetas de crédito; cancele las demás.
9. Invierta tres horas al mes en revisar sus finanzas personales.
10. Si ahorra 100 pesos diarios tendrá 36,000 pesos en doce meses. ¡Ahórrelos!

CAPÍTULO SEIS

Planee su retiro

autoevaluación de sus *hábitos* financieros

"Se es joven cuando uno cree que tiene que trabajar; se es maduro cuando uno espera poder trabajar; y se es viejo cuando uno agradece que aún puede trabajar".

AHORA TIENE YA UNA IDEA general de su dinero, sus deudas, su capital y cómo podría incrementar sus ingresos revirtiendo la espiral de egresos por medio de deudas buenas. Pero si usted quiere mejorar su perfil en el manejo de su dinero, necesita evaluar qué sabe de este tema. Conteste las siguientes preguntas, que consideramos básicas para saber cuál es su nivel de conocimiento:

1. ¿Conozco cuánto tengo acumulado en bienes muebles e inmuebles?

CIERTO____ FALSO____

2. ¿Conozco exactamente cuánto pago en impuestos cada mes por mis ingresos?

CIERTO____ FALSO____

3. ¿Conozco cuánto pago de mis seguros, los beneficios de éstos y cuánto recibiría en caso de cobrarlos?

CIERTO____ FALSO____

4. ¿He analizado en el mercado si mi póliza de seguro es competitiva o hay otras mejores?

CIERTO____ FALSO____

5. ¿Conozco el valor de mi casa, el de mi hipoteca y los intereses que pago, así como las opciones que existen para pagar por adelantado y sus beneficios?

CIERTO____ FALSO____

6. ¿Conozco cuándo vence el contrato de mi renta, cuánto tengo de depósito y cuánto podría pagar cuando sea la renovación?

CIERTO____ FALSO____

7. ¿Conozco cuál es el deducible de mi seguro en caso de accidente?

CIERTO____ FALSO____

8. ¿Conozco las opciones que existen en el mercado para invertir mi dinero, ya sea en la banca privada, en fondos de inversión o en la bolsa de valores?

CIERTO_____ FALSO_____

9. ¿Conozco cómo deducir mejor mis impuestos anualmente? ¿Tengo un asesor para ello?

CIERTO_____ FALSO_____

10. ¿Conozco cuál será el monto de mi jubilación y los beneficios cuando me retire?

CIERTO_____ FALSO_____

11. ¿Conozco cómo administrar eficientemente mis ahorros?

CIERTO_____ FALSO_____

12. ¿Conozco el plan que tengo de gastos mes con mes y mis límites máximo y mínimo?

CIERTO_____ FALSO_____

13. ¿Conozco cuánto dinero necesito ahorrar para que mi retiro sea el que quiero, ya que he diseñado un plan para mi jubilación?

CIERTO_____ FALSO_____

14. ¿Conozco los seguros que hay en el mercado para protegerme contra eventualidades —como enfermedades o accidentes— o bien para planear mi retiro?

CIERTO_____ FALSO_____

15. ¿Conozco bien cómo planear y administrar mis finanzas mes con mes?

CIERTO_____ FALSO_____

16. ¿Conozco cómo educar a mis hijos en el manejo de su dinero y los educo para que tengan hábitos de ahorro?

CIERTO____ FALSO____

17. ¿Conozco muy bien a mi consejero financiero y lo consulto para que me oriente en el manejo de mis finanzas personales?

CIERTO____ FALSO____

18. ¿Conozco cómo hacer un plan de ahorro e inversión a largo plazo, pues me preocupo por leer cómo mejorar mis finanzas personales?

CIERTO____ FALSO____

Califique con un punto las respuestas afirmativas, y con cero las que marcó como falso.

De 14 a 18 puntos: Usted tiene un buen conocimiento de cómo manejar sus finanzas personales.

De 9 a 13 puntos: Debe mejorar sus conocimientos para salir de la ignorancia en algunas áreas.

8 o menos: Tiene probabilidades muy altas de caer en problemas económicos serios, puesto que desconoce prácticamente cómo manejar su vida financiera.

PUNTAJE: ________

Si su resultado fue bueno en el cuestionario, usted forma parte de un grupo reducido que se preocupa por su salud económica. Es más, los versados en cómo manejar el dinero buscan constantemente mejores opciones dada la dinámica de lanzamiento de nuevos productos en el mercado. Por otro lado, si su calificación es baja, tendrá que hacer un esfuerzo para cambiar sus hábitos e incluir nuevos que le permitan tener más control de su vida. Asimismo, tendrá que elaborar planes realistas para alcanzar las metas de su proyecto de retiro.

una *actitud* previsora

"No hay dignidad más trascendente
ni independencia tan importante
como vivir dentro de sus posibilidades".

ASEGURAR EL FUTURO, más que privilegio de unos cuantos, es una necesidad para todos, independientemente de su capital. En la última década, las instituciones bancarias crearon servicios financieros personalizados que han demostrado ser los instrumentos de mayor crecimiento. Incrementaron también los portafolios y los rendimientos, por ello, cuanto más conocimiento tenga usted, mayores serán las probabilidades de incrementar su patrimonio. Observe el enorme crecimiento de ofertas de fondos de inversión, así como la enorme cantidad de alternativas que le ofrecen los bancos y las aseguradoras, ni hablar de la enorme rentabilidad que ha tenido la bolsa de valores en los últimos años. Continuamente están surgiendo alternativas, que si usted las observa en conjunto le permitirán ganar más con su dinero. Una buena inversión determinará cómo vivirá en el futuro y para ello necesitará conocer el nivel de riesgo que está dispuesto a correr y el monto que tiene para invertir.

> "una buena inversión determinará cómo vivirá en el futuro y para ello necesitará conocer el nivel de riesgo que está dispuesto a correr y el monto que tiene para invertir"

Asegurar el futuro económico no puede esperar si usted quiere mantener su nivel de vida actual cuando ya no esté en el mundo activo. Nunca es tarde, pero debe iniciar antes de los cincuenta años. Si usted quiere saber su realidad económica, escriba en una hoja cuánto dinero recibirá al retirarse. Luego, apunte cuánto dinero necesita para vivir mensualmente y calcule cuánto le durará su patrimonio si no hace nada más que ponerlo en el banco y gastar. Haga el análisis en este momento, deje de leer. Si su cálculo le indica que usted es de los que no pueden vivir más de diez años, no se deprima porque está usted en el promedio, que abarca a quienes no saben cómo vivirán en el futuro.

No olvide que si usted alcanza la edad promedio vivirá más de setenta años. ¿De dónde sacará más dinero? ¿Buscará un nuevo empleo a los setenta o iniciará un negocio? Usted sabe que no hará ninguna de estas dos cosas. Lo único que tiene que hacer es ¡estudiar y planear su vida económica! Por lo tanto, es necesario que desarrolle su inteligencia financiera; no importa la edad que tenga.

La mayoría de los seres humanos vivimos siguiendo la tendencia natural del ciclo de vida de un trabajo. Es decir, usted debe retirarse de la vida activa a los 60 años. Eso es lo que le indican los cánones del ciclo de vida de un empleado. La cultura del empleado dicta que a los 60 años debe dedicarse a otra cosa, como ver televisión, gastar el dinero de su retiro, cuidar a sus nietos y esperar a que llegue el día de su juicio final. Esto es el absurdo más grande que he oído, ya que antes la gente moría a los 60 años y hoy puede vivir sin ningún problema más de ochenta años. Además, el nivel de inteligencia, la madurez de vida y su estabilidad emocional y familiar ya están resueltas, están tan controladas que —digamos— las puede guardar en el bolsillo pequeño de su pantalón. Su reto más importante a partir de los cuarenta y cinco años es cómo incorporar un hábito que jamás fue desarrollado en su mente: el de pensar como financiero. Muchos comentan que jamás supieron manejar el dinero porque "el sueldo se lo entregaba íntegro a mi esposa y ella siempre fue la que lo administró". Ahora debe aprender a manejar su dinero, moverlo, hacerlo "bailar" y que produzca para usted si quiere mantener el mismo nivel de vida. Durante 60 años su mente entendió que, físicamente, usted era quien debía producir dinero, no el dinero producir para usted. Ese modelo de empleado es un patrón mundial, o sea, su mente incorporó dicho modelo. Puede usted decirme que no sabe nada acerca del dinero. No se preocupe, no necesita ser un genio para estudiar exhaustivamente el tema del dinero antes de que se retire. Estudiando descubrirá que no necesita trabajar para producir dinero si sabe qué hacer con él. Podrá aprender una nueva profesión: la de inversionista. Para esta profesión su madurez es perfecta, ya que las empresas consideran que no debe trabajar a su edad. Las personas maduras deben jubilarse y ser sustituidas por jóvenes universitarios que, por cierto, tampoco saben nada de cómo hacer dinero sin un empleo. Las universidades preparan a la gente para trabajar, no para hacer dinero; las escuelas hacen buenos profesionales, pero no buenos inversionistas. Las escuelas están diseñadas para el modelo de la Revolución Industrial, no para el del siglo XXI, la era del conocimiento y la alta tecnología. Por esta razón, muchos asesores financieros y gerentes de banco del viejo modelo no saben hacer dinero si no están empleados. Si su asesor financiero no sabe hacer dinero con el dinero, salga de ahí lo antes posible, corra inmediatamente a buscar a alguien que sí sepa hacer dinero, para que lo aconseje.

Por desgracia, los asesores en inversiones tienen mentalidad de empleados cuando trabajan como asesores, lo cual significa que no podrían vivir mucho tiempo sin trabajar, pero nos asesoran. ¿No le parece increíble?

Finalmente, le advierto que su educación de empleado le va a servir de muy poco cuando se retire. Usted inició su vida laboral en una época y terminará retirándose en otra bastante distinta, en "la era del conocimiento", donde su pensión no será suficiente para mantener su nivel de vida. Debe reeducar su mente, y cuanto antes, mejor. Acuda a todos los centros de estudio que conozca para educarse y hacer crecer su inteligencia financiera, ya que ésa será su profesión para el resto de los días que viva en este mundo material.

Veamos algunas de las alternativas más comunes que puede consultar:

Afores. Lo más importante es que concentre su atención en la inversión que tiene en la Afore. Las diversas empresas que ofrecen fondos para el retiro entregan diferentes tipos de comisiones y rentabilidad. Esté siempre alerta y busque información de los cambios que frecuentemente tienen las Afores en sus beneficios en rentabilidad. Independientemente de ello, es necesario que usted busque otras alternativas para complementar los beneficios, que no son muy grandes, de estos instrumentos.

Banca privada. Si desea ser conservador es mejor que invierta en pagarés bancarios o en inversiones a plazo; son instrumentos con bajo rendimiento, pero con liquidez inmediata. Invierta 70 por ciento de su capital en renta fija y 30 por ciento en renta variable.

Seguros. Como los seguros son fundamentales para su futuro, deberá considerar seguros de gastos médicos mayores, así como un seguro de retiro que le garantice un ingreso fijo después de que se jubile.

Bolsa de valores. El mercado accionario es el más arriesgado, pero en los últimos años ha demostrado tener alta rentabilidad.

Fondos de inversión. Este instrumento es el que ofrece más alternativas, ya sea para quienes quieren asumir ciertos riesgos como para los más conservadores; es un instrumento muy aconsejable. Ésta es una lista de los distintos fondos de inversión: fondos de inversión en instrumentos de deuda; fondos de inversión de cobertura; fondos de inversión de renta variable, y fondos de inversión internacionales.

Compra-venta de inmuebles. Comprar y vender casas o departamentos es una alternativa de poco riesgo, con buena rentabilidad y plusvalía en algunos casos. Dispone de liquidez permanente.

Consejos para el próximo lunes

1. Tenga muy claro que sus activos le producen riqueza y sus tarjetas pobreza.
2. Grábeselo: más crédito no es más dinero para gastar.
3. Haga un inventario de sus malos hábitos financieros y modifíquelos.
4. Ahorre pero no le tenga miedo a invertir.
5. Si ahorra y no invierte será cada día más pobre.
6. Defina cuántos años necesita para acumular el dinero que quiere para su retiro.
7. Los hábitos de ahorro de la época de sus padres jamás lo llevarán a la riqueza.
8. Su limitación económica no está en sus ingresos, sino en la ignorancia de qué hacer con ellos.
9. Si sufre por falta de liquidez, usted es el problema, no sus gastos.
10. Nunca justifique compras que no le agreguen valor o riqueza.

CAPÍTULO SIETE

Piense como empresario/ inversionista

aprenda a *aumentar* su riqueza

"El hombre superior
se asegura de juntar todas sus armas
con el fin de protegerse
contra lo inesperado".

EN EL FONDO, todas las personas que conozco desean ser ricas. El problema es que la mayoría piensa en su trabajo como la actividad que le permitirá generar su riqueza. Sin embargo, después de obtener el ingreso que ha resultado de su trabajo no saben muy bien qué hacer con ese dinero. Algunos, por la naturaleza de su negocio o profesión, ganan megasueldos o megaingresos, pero la cantidad de dinero que reciben no resuelve el problema de fondo. Unos luchan por ganar más y otros por salir de la pobreza; no obstante, el conflicto de unos y otros es el mismo: no saben cómo "hacer dinero con el dinero". Casi toda la gente está atrapada en el modelo de trabajar duro para hacer mucho dinero, cuando la idea que debiera procesar la mente de todo aquel que desee vivir como millonario es "que el dinero trabaje duro para mí". El modelo consumista con el que crecimos es ancestral y mecánico, implica desarrollar una intensa actividad física y no un conocimiento especializado que mueva el dinero para transformarlo en un mecanismo de producción. Se trata de un modelo que se acerca más al circo romano que a la era espacial. Los gladiadores romanos podían ganar su libertad peleando duro. La libertad era producto de su habilidad física, no intelectual. Ya mencionamos en capítulos anteriores que debe manejar el dinero como un recurso para generar ingresos adicionales. También dijimos que no es fácil llevar esto a la práctica, porque su mente está conectada a un chip que le dice: "Trabaje mucho para que ingrese mucho y pueda gastar mucho", es decir, lo han educado para que cuando le aumenten el sueldo tenga más capacidad para comprar que para invertir. Está atrapado en la máquina de gastar: la sociedad de consumo creó un mecanismo para que usted tuviera disponibilidad de crédito y diera manga ancha a sus emociones y anhelos de consumo, reforzando su autoestima con el gancho de adquirir todo con una tarjeta. Adicionalmente, el marketing ha rodeado al dinero de un halo mágico que decodifica en su mente la idea de que gastar otorga estatus o garantiza un mejor estilo de vida, y para muchos éste es un estímulo irresistible que alimenta directamente el ego. Este círculo vicioso lo tiene atrapado en una espiral descendente de gasto. El modelo de ganar/gastar lo obliga a trabajar por el dinero y para el dinero. El ejemplo del síndrome del hámster, al que me referí en el capítulo 5, nos enseñó que cuanto más trabaja una persona más gana, y cuanto más gana más gasta. La moraleja es que, sin importar cuánto trabaje, la mentalidad consumista no le permitirá avanzar, como le sucede al hámster en su rueda. Para comprobar que usted se halla atrapado en este

"el modelo de ganar/gastar lo obliga a trabajar por el dinero y para el dinero"

círculo vicioso descendente, basta con que abra su cartera y vea de cuántas tarjetas de crédito dispone. ¡La mayoría de ellas se adquieren gratis! El modelo del hámster tiene entrada gratuita, pero la salida le cuesta miles de dólares. En otras palabras, no puede salir de la trampa si no paga. Tal como le pasa al gladiador romano, ¿no le parece?: debe pagar por su libertad. A la trampa en que está atrapado le llaman "calidad de vida", pero en realidad debiera llamársele "calidad de gasto", puesto que usted puede disponer de una cantidad ilimitada de tarjetas de crédito para disfrutar de la vida en el corto plazo, sin ocuparse de su estabilidad económica en el largo plazo. El modelo de vida estilo microondas aterra a las personas cuando se enteran de que se aproxima un recorte de personal en su empresa, es decir, "no más sueldo". Noticias de este tipo le quitan el sueño a cualquiera ante la presión de no poder mantener el estándar de vida que le ha brindado tantos años la estabilidad aparente de un salario. Sin que usted sea consciente de ello, el sistema de ganar y gastar lo ha convertido en un ser dependiente. La mayoría de las personas no puede vivir más de seis meses sin trabajar, porque los acreedores tirarán su puerta a golpes exigiéndole, con documentos legales en mano, pagar deuda sobre deuda y recargo sobre recargo. Aquellos que desconocen cómo salir de sus deudas se aferran a diversas tablas de salvación: comienzan a buscar en la espiritualidad, el esoterismo, el karma o el horóscopo la solución al conflicto emocional que les ha acarreado el consumismo. Por desgracia, la solución a este problema no es espiritual, sino racional, lógica. Exige aprender un sistema que opere de manera eficiente en su vida económica.

cómo *salir* de la trampa

"¿Cómo sería la vida sin tener que hacer ningún pago?".

PARA SALIR DEL CÍRCULO, vicioso lo primero que debe hacer es pensar de manera diferente. No puede mejorar el modelo que aprendió porque éste no fue diseñado para acumular, sino para gastar. Crecimos con un modelo económico que nos facilitó el camino para alcanzar una vida decente. Pero la producción en masa modificó totalmente el modelo, pasando de calidad de vida a calidad de consumo sin límite. Por ejemplo, hay más de treinta tipos de cereales diferentes para elegir a la hora del desayuno; hace quince años no había más de veinticuatro modelos de automóviles y hoy existen en el mercado más de ciento veinte.

La sobresaturación de productos tenía que desplazarse de las fábricas de alguna forma, y ante ello los expertos en finanzas crearon mecanismos ilimitados para facilitar el consumo que hoy disfrutamos, pero que agobia nuestra solidez económica. Mis abuelos, que sobrevivieron a la guerra en Italia, aprendieron que para adquirir un refrigerador debían ahorrar centavo tras centavo en una cajita. Se impusieron una férrea disciplina de trabajo, sacrificio y austeridad para lograr sus objetivos. Este modelo cambió cuando el crédito sustituyó la libreta de ahorros y adeudos, con lo cual revolucionó al mundo. Hoy día ese mismo principio ha alcanzado un nivel de sofisticación enorme que nos tiene atrapados.

un *modelo útil* para esta época

"Cuando su dinero
gane más que usted con su salario,
entonces usted será una persona rica".

EL MODELO QUE HEREDAMOS fue diseñado para una sociedad que se encontraba en pleno proceso modernizador. La generación de nuestros abuelos vivió con limitaciones y sacrificios, ya que la adquisición de los bienes materiales era un privilegio al que muy pocos tenían acceso. Era la época en que la compra de una nueva radio constituía todo un acontecimiento que la convertía en el bien más preciado de la casa. Pero el modelo económico maduró y creció. Aquellos que nacieron en la era de la alta tecnología y el consumismo no conocen más modelo que el de la disponibilidad ilimitada de bienes materiales. Hoy los bienes son muy fáciles de adquirir, y no bien se ha pagado uno cuando ya hay otro más novedoso en el mercado. El bienestar básico de una familia se cubre con mayor facilidad. Los jóvenes se casan cuando tienen garantizadas todas las comodidades; si no es así, mejor esperan un poco más, pero

> “si quiere crecer, debe cambiar el viejo modelo aprendido. Debe construir en su mente el modelo de pensamiento empresario/inversionista que le permita retomar el control de su vida y de sus impulsos”

no están dispuestos a pasar los sacrificios de padres y abuelos. Automáticamente, la mentalidad de las nuevas generaciones está centrada en el consumo, puesto que nacieron con él, y no en la administración de sus finanzas. No obstante, esta mentalidad ya no corresponde a nuestra época, puesto que al no necesitar mucho sacrificio para adquirir productos, las prioridades comienzan a cambiar.

El sacrificio económico que hacemos hoy es para adquirir más de lo que ya poseemos: otro traje, una pantalla de plasma que sustituya al viejo televisor, un auto más sofisticado, el modelo de tenis más novedoso, o el viaje a un país más exótico que el que conocimos la vez anterior. Lo último, lo nuevo, lo diferente, lo actual, requiere de sacrificio. Esta sobresaturación consumista es la que está dañando su salud física y económica. ¿Cuántos automóviles más necesita para desplazarse y sentirse exitoso? Si quiere crecer, debe cambiar el viejo modelo aprendido. Debe construir en su mente el modelo de pensamiento empresario/inversionista que le permita retomar el control de su vida y de sus impulsos. Debe aplicar los principios consumistas, sí, pero de instrumentos de inversión y no de bienes materiales innecesarios. Ya no es posible vivir dominado por el marketing. Necesita entrar en una etapa superior que se adapte a la nueva realidad social y económica del mundo. De no ser así, seguirá avanzando a toda velocidad pero en reversa, y la espiral descendente de la deuda mala será inevitable.

Para cambiar su mentalidad lo primero que necesita es tomar conciencia de que el mundo de hoy requiere de usted un pensamiento superior y una vida más lógica y coherente. Luego deberá estudiar y documentarse para cultivar su inteligencia financiera. Cuanto más pronto inicie, más rápido sentirá la seguridad de tener el control en sus manos, y la libertad de elegir qué hacer.

los chinos *comprendieron* al mundo

"Una forma honesta para que usted se haga rico es aclararle a su familia que también está en sus propios intereses ver los de usted".

Los chinos han comprendido que el modelo de consumo que hemos descrito llegó a su límite. Estamos inundados de productos para comprar. Por años, la industria ha fabricado una enorme cantidad de productos destinados a las clases media y alta. Los industriales estadounidenses, japoneses y sobre todo europeos fabricaron productos de calidad, se sentían orgullosos de producir mercancías que duraban muchos años. Hoy a nadie le importa que un producto sea durable. La sociedad compra lo nuevo, lo último, lo novedoso, lo diferente. No nos importa la durabilidad de aquello que adquirimos. Los chinos

"debemos cambiar la idea de que los pobres son un problema intratable, y ver la base como una gran oportunidad de expansión y crecimiento"

entendieron que hay un gran mercado de consumo potencial en la base de la pirámide. Basta con observar la enorme cantidad de productos genéricos de bajo precio que compiten con los productos de marca en el mundo entero. Y esto ocurre en todos los ramos: textil, del calzado, de la alimentación, de los productos químicos, de los productos electrónicos, etc. Es un hecho que los productos genéricos están ganando la batalla. Si aún lo duda, constate el crecimiento vertiginoso de los cientos de bancos orientados a la base de la pirámide, es decir, a las personas de escasos recursos. Los comercios que venden productos baratos crecen día con día. El escritor C. K. Prahalad, famoso por sus teorías empresariales, lo ha expresado sin tapujos: "Debemos cambiar la idea de que los pobres son un problema intratable, y ver la base como una gran oportunidad de expansión y crecimiento". En México, menos de la mitad de sus ciento cuatro millones de habitantes se encuentran en la base de la pirámide y 65 por ciento se ubica en las ciudades. La proporción mundial es similar. Los chinos no tienen límites. Saben que algún día un Ferrari o un Lamborghini serán productos accesibles. El negocio de crear consumo en la base no es una novedad para nadie, pero los chinos han sido los primeros y están inundando el planeta con sus productos, quedándose con los dólares y provocando la escasez del acero en el mundo. En esta nueva etapa el consumismo seguirá siendo atractivo para las clases media y alta, pero si a éstas les interesa algo más que gastar, es decir, expandir sus oportunidades de incrementar sus ingresos y hacer que el dinero produzca en su favor, entonces deberán entrar en la etapa del empresario/inversionista.

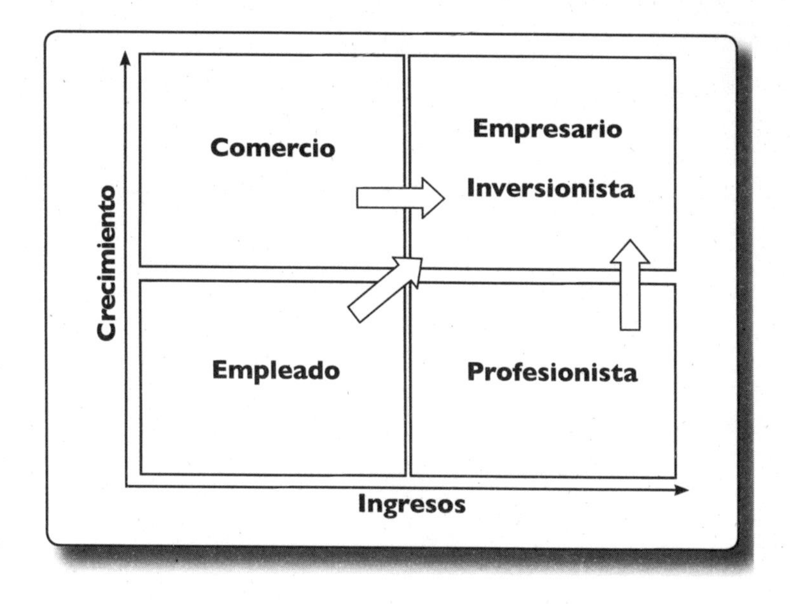

Como se observa en la figura de arriba, empleados, profesionistas y comerciantes pueden llegar a desarrollar la mente de empresarios inversionistas. Ya he mencionado en otro momento que los empresarios se caracterizan por multiplicar su esfuerzo para producir más. Esta mentalidad implica que otras personas trabajen para ellos, a diferencia de los profesionales o comerciantes que atienden personalmente su negocio y consideran que ése es su medio ideal de sustento. Por su parte, los empleados aumentarán sus ingresos multiplicando el esfuerzo si logran pensar como líderes y ven sus puestos como proyectos a desarrollar. Lo mismo pasa con los emprendedores con mentalidad de inversionista, es decir, orientada al incremento de activos, ingresos adicionales por rentas o inversiones de compra-venta, en negocios o en acciones. No piensan en ahorrar para tener seguridad, sino para invertir y crecer. No importa el empleo que tengan ni su salario, como tampoco el comercio del que son propietarios o sus ingresos como

> “el secreto es construir en su mente ambas habilidades: la de empresario y la de inversionista. El principio que rige a ambos conduce a la evolución y el crecimiento”

profesionistas. Lo esencial es que orienten su mentalidad hacia la mejor forma de administrar sus excedentes y que no sólo dependan de sus ingresos. El crecimiento para cualquiera de los tres perfiles puede ser enorme si piensan como empresarios. Para que su vida económica no tenga límites de crecimiento, el secreto es construir en su mente ambas habilidades: la de empresario y la de inversionista. El principio que rige a ambos conduce a la evolución y el crecimiento.

Empresario

◊ Multiplica el esfuerzo a través de otros
◊ Orientado a costos
◊ Decide su límite de crecimiento
◊ Es líder de grupos
◊ Es ambicioso
◊ Tiene visión comercial

Inversionista

◊ Multiplica activos
◊ Reinvierte
◊ Crea dividendos
◊ Crea rentas
◊ Crea plusvalía
◊ Es accionista

Cualquier trabajador independiente que piense como empresario/ inversionista puede crecer. Si usted es dueño de un taxi su mentalidad de empresario lo hará considerar la posibilidad de tener varios y en lugar de manejar un auto de alquiler manejará su propia empresa e invertirá de manera inteligente sus ahorros. Si es comerciante comprenderá que el crecimiento económico lo garantiza la posesión de varios pequeños comercios en vez de ocuparse solamente de hacer crecer el que tiene. El efecto multiplicador es un principio que siempre conduce al crecimiento, así como la inteligencia financiera maximiza su capacidad de ahorro.

nuevo *paradigma* de pensamiento

"Si su motivación por tener dinero proviene de su inseguridad, avaricia o de la necesidad de aceptación social, el dinero nunca le dará felicidad".

EN SÍNTESIS, EL MODELO de pensamiento debe integrar en su mente la diferencia que existe entre producir ingreso y producir gastos que no acumulan capital. El gasto de su dinero no debe equipararse a la velocidad de un auto fórmula uno, sino desarrollar la habilidad de crecer y acumularse. Para ello, el proceso global es el siguiente:

DEUDA BUENA

INGRESOS

Todo ingreso que proviene de su sueldo, comisiones o ventas u honorarios, rentas, etcétera.

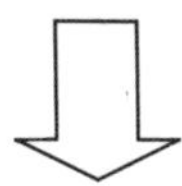

ACTIVOS

Todo crédito para adquirir bienes o realizar inversiones que producen ingresos adicionales.
Terrenos, casas, rentas, negocios inversiones, ingeniería financiera.

DEUDA MALA

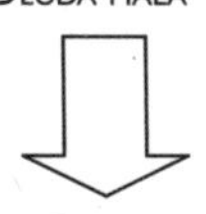

GASTOS

Todo gasto por impuestos, tarjetas, ropa, comida, viajes, restaurantes, automóviles y gastos en general.

CONSUMO

Todo crédito para adquirir productos de consumo que no producen ingresos adicionales.

Como puede observar, hemos crecido con el esquema de la derecha, es decir, el que nos lleva a consumir todo lo que está en venta sin una disciplina o información especializada de cómo administrar nuestro dinero. Es evidente que la administración de nuestros ingresos no fue una habilidad desarrollada en el siglo XX. Por el contrario, el esquema de la izquierda requiere de análisis, conocimiento, asesoría de expertos, pero sobre todo de incorporar en su mente un nuevo paradigma que determine sus prioridades y esquemas de pensamiento en cuanto al dinero, para administrar correctamente su deuda buena. Si quiere saber qué tan rico es hoy, multiplique su edad por el dinero total que tiene el banco e invertirlo en bienes y divídalo entre diez. El número resultante le indicará el dinero que debería tener el día de hoy a su edad.

Fórmula:

Edad	x	Total de su dinero	÷	10	=	$ ________
____	x	____________	÷	10	=	$ ________

tres *empresarios* exitosos

"Los que piensan como empleados ven la realidad tal cual: las casas viejas, las tierras áridas. Los empresarios ven las futuras residencias, las granjas productivas, porque su mente dimensiona el mundo de las posibilidades".

La mentalidad de empresario puede aprenderse a cualquier edad y en cualquier circunstancia. Muchos empresarios iniciaron su imperio cuando perdieron su empleo o cuando decidieron asumir un riesgo mayor. Veamos tres casos relevantes para que usted se convenza de que no necesita poseer una inteligencia superior para construir un gran imperio, ni capital, sólo grandes ideas.

Jorge Vergara

Este mexicano de cincuenta años tiene un perfil de empresario versátil, pues lo mismo es dueño de equipos de futbol que productor de películas, ámbitos en los que su trayectoria ha sido larga y exitosa. Vergara dejó trunca la preparatoria y en sus inicios trabajó como mecánico, traductor de textos y vendedor de autos, hasta que decidió hacerse independiente vendiendo carnitas. Después ingresó a la empresa Herbalife, donde le propuso al dueño hacer crecer el negocio con otros productos, pero éste no se atrevió a correr el riesgo. Fue entonces cuando Vergara decidió crear su propio negocio de productos nutricionales, al que llamó Omnilife, con 10,000 dólares prestados. Su éxito fue arrollador y la empresa superó los 1000 millones de dólares en ventas. Hoy día su presencia se ha extendido a Estados Unidos, España, Argentina, Colombia, Costa Rica, El Salvador y otros países. Vergara también ha ingresado en el terreno de las telecomunicaciones y además de tener su propio programa de radio edita una revista y opera una empresa de entretenimiento y una productora de discos. Asimismo, es propietario de una empresa de servicio de aerotaxis, otra de diseño y una más de cultivo de flores. Entre las películas que ha producido, está una de las más taquilleras del cine mexicano de los últimos tiempos: *Y tu mamá también*, pero sin duda uno de sus proyectos más ambiciosos es la construcción del Centro JVC, cuyo costo se ha calculado en más de 700 millones de dólares. Se prevé que este complejo albergue más de once edificios diseñados por los mejores arquitectos del mundo, entre ellos un museo de quince mil metros cuadrados, un museo para niños, un hotel de trescientas habitaciones, un centro comercial, un área para ferias y convenciones, una sede para conciertos y un estadio de futbol. Vergara es un empresario que comenzó con una idea y pronto comprendió la importancia de multiplicar su esfuerzo mediante la contratación de miles de colaboradores que hoy trabajan para sus empresas. Ése es el modelo del que hemos venido hablando en este libro.

Henry Ford

Sin duda una de las historias de mayor éxito empresarial en el último siglo es la de Henry Ford. Hijo de un matrimonio de granjeros que inmigraron de Irlanda, nació el 30 de julio de 1863 en Michigan. De niño ayudó a sus padres en la granja y a los dieciséis años decidió abandonar la escuela para irse a Detroit, donde primero trabajó como aprendiz de mecánico en una fábrica de tranvías, luego en una fundidora y más tarde en Dack Engine Works como mecánico. En 1883 logró construir su primer auto en sus ratos libres y apenas diez años después creó la empresa Ford Motor Company, donde instaló una de las innovaciones tecnológicas que aseguraron su éxito. Ford logró hacer de la producción industrial masiva una realidad e inventó el sistema de franquicias por medio de distribuidores. Para 1912 tenía siete mil vendedores en todo el país. Impulsó las estaciones de gasolina y realizó una campaña para construir mejores carreteras. No obstante, la gran fortaleza de Ford fue la manufactura: creó el primer proceso en línea que producía un auto cada 93 minutos. Para 1929 era tan poderosa que logró controlar la producción de caucho en Brasil, una flota de barcos, líneas de ferrocarril, dieciséis minas de carbón, miles de acres de bosques madereros y minas de acero. A principios de 1945 comenzó a fabricar aviones bombarderos, que llegaron a ser ocho mil a finales de la Segunda Guerra Mundial. Al morir, Henry Ford dejó una fortuna aproximada de 700 millones de dólares de aquella época. Nada mal para un joven granjero que tuvo la virtud de pensar como empresario.

Ángel Lozada

En el año 1923, llega al Puerto de Veracruz un joven de 15 años dispuesto a emprender un nuevo reto en su vida, Ángel Losada, originario del Norte de España nunca se imagino el imperio que construiría con las tiendas Gigante. Trabajó durante 17 años y fundó en el estado de Hidalgo su propio negocio de semillas, abarrotes y distribución de cerveza. Catorce años después, en 1956, Ángel Losada se traslada a la Ciudad de México donde hizo realidad su sueño. En 1962 a los 53 años de edad funda la primera tienda Gigante, 39 años después de su llegada al puerto de Veracruz, logrando desarrollar un negocio de más de 100 tiendas en todo el país. Veinte años después de fundada su primera tienda ya había construido un imperio de más de mil millones de dólares. Dueño de El Sardinero, Blanco, Astra, SuperMax, Toks, Radio Shack, Office Depot, PriceSmart y de una red interminable de restaurantes y hoteles. Esta es una gran historia de un hombre que supo ser empresario, contando solo con el recurso de su espíritu emprendedor de lucha y trabajo. Si usted desea ser un empresario no crea que solamente necesita dinero, que sí ayuda mucho, pero su mente emprendedora la puede aplicar también a los 53 años de edad como Don Ángel Losada quien fue un ejemplo de gran empresario para todas las generaciones..

Consejos para el próximo lunes

1. Tenga conciencia de que el dinero es el recurso de que dispone para hacer dinero.
2. Cultive el hábito de hacer dinero mientras duerme.
3. Vea el dinero como un recurso adicional a su empleo para generar más ingreso.
4. No confunda gastar más con calidad de vida.
5. Aprenda que el dinero es el mejor producto que tiene para hacer dinero.
6. Si anhela su independencia económica cambie sus hábitos de consumo.
7. Tome conciencia de que la crisis de sobrevivencia radica en la deficiente administración de sus ingresos, no en el monto.
8. No caiga en el síndrome del hámster: ganar y gastar.
9. Su riqueza crecerá si está dispuesto a aprender el tema del dinero. De lo contrario, continúe con el endeudamiento.
10. Cambie su mente consumista por una inversionista.

CAPÍTULO OCHO

Los *hábitos* para pensar como rico

cultive los *hábitos* que luego gobernarán su mente

"La prosperidad perpetua les llega a los que ayudan a otros".

SI USTED TIENE UNA MENTE educada en los principios del éxito financiero, intuitivamente tomará las decisiones más acertadas sobre el dinero. Mencionamos ya el caso de Donald Trump, cuyo modelo mental lo hace producir riqueza aun en los momentos más difíciles. El primer paso para pensar como millonario es tener conciencia de su interés por el tema y saber cómo piensan los ricos. Las personas ricas razonan de modo muy distinto de quienes piensan como pobres. Tienen una forma peculiar de concebir la riqueza y el dinero; una manera distinta de juzgarse a sí mismas y a los demás, de entender la vida. Si usted las identifica, podrá darse cuenta de cuándo usted piensa o actúa como pobre y cuándo como rico. Recuerde que usted puede decidir cómo pensar, y esto no significa, desde luego, descalificar a quienes son pobres. Usted podrá escapar de la condición de pobreza si logro convencerlo de pensar como rico. La riqueza y la pobreza son estados mentales que lo inducen hacia uno camino u otro, y debe estar consciente de ello. Lo importante es comprender que tenemos hábitos arraigados, de nuestra familia o de nuestra condición social o educativa, que nos condenan a pensar como pobres y no como ricos.

La historia del señor Espinosa Iglesias —quien fue dueño de Bancomer, el segundo banco más grande de México— es sorprendente porque empezó siendo chofer en la ciudad de Puebla y luego se convirtió en uno de los hombres más ricos del país. Sus hábitos de pensamiento como millonario lo transformaron en una persona inmensamente acaudalada. Analicemos algunos de los hábitos más significativos de las mentes millonarias.

Observará que en las siguientes reflexiones hago referencia a la gente rica y la gente pobre. En realidad, no estoy calificando a las personas que tiene dinero o a las que no lo poseen. Mis adjetivos rico y pobre describen a las personas que piensan como millonarias y a quienes no, independientemente del dinero que tengan, es decir, que tienen hábitos que los inducen a la pobreza o a la riqueza.

Estos ocho hábitos representan el pensamiento y la acción de las personas que piensan como millonarias. Nueve de ellos describen su modelo de pensamiento, y los otros nueve representan la forma en que piensan las personas que tienen mente de millonarios.

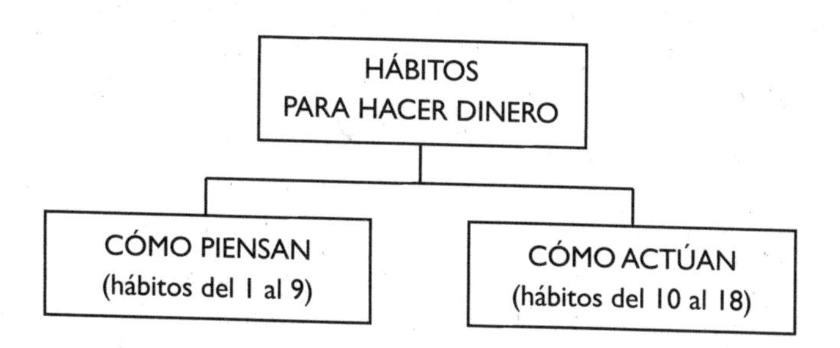

1. La gente rica cree que puede construir su vida. La gente pobre cree que la vida no se puede controlar.

Si quiere crear riqueza, debe creer que usted es el constructor de su vida, principalmente de su vida financiera. Si no cree en ello, entonces no creerá que puede dirigir su vida ni tener control de sus resultados financieros.

Se sentirá víctima y culpará a las circunstancias de su pobreza. También justificará lo que sucede autoconvenciéndose de que el dinero no lo es todo en la vida, o de que el dinero no le da salud ni tampoco la compra. Se quejará de las injusticias sociales y desarrollará una actitud pesimista que atraerá hacia usted más limitaciones.

2. La gente rica piensa en grande. La gente pobre piensa en los obstáculos.

La vida es muy corta para vivirla en pequeño. La vida de usted puede transformarse automáticamente el día en que comience a pensar en grande. Dejará de vivir su vida financiera con una dieta mental. Pregunte qué quiere de la vida, cómo quiere jugarla y en qué nivel. Necesita entender que la economía que proviene de un sueldo tiene un límite, a diferencia de la riqueza que proviene de administrar su dinero, que es infinita.

3. La gente rica piensa en su riqueza. La gente pobre piensa en sus ingresos.

La gente suele preguntar: "¿Cuánto ganas?", pero muy pocos inquieren: "¿Cuánta riqueza tienes?" La gente que piensa en su riqueza tiene en mente sus activos, sus rentas, sus inversiones. No olvide que sus ingresos provienen de un sueldo y de sus deudas buenas, que le generan un ingreso adicional mientras usted duerme. Lamentablemente, las personas que piensan como pobres se desviven en cómo cambiar de trabajo para tener un mejor sueldo. No piensan en la riqueza, sino en el sustento.

4. La gente rica actúa a pesar de sus miedos. La gente pobre se paraliza por el miedo

Muchas personas piensan toda su vida en el dinero. Algunas rezan por él, otras meditan y otras más hacen ejercicios espirituales de visualización. Pero la realidad es que nada de eso las lleva a la riqueza. La riqueza es producto de lo que usted hace con el dinero, no de lo que piensa acerca de él. La acción inteligente es lo único que puede llevarlo al éxito. Si la acción es la clave para hacer dinero, entonces pregúntese por qué la mayoría de las personas no hacen otra cosa sino guardarlo. La respuesta es el miedo, la duda, la preocupación y la ignorancia de qué hacer con él, además de gastarlo o ahorrarlo. La diferencia entre los que piensan como ricos y quienes tienen mentalidad de pobres es el nivel de temor que significa mover su dinero.

5. La gente rica piensa en aprender y crecer. La gente pobre piensa que ya sabe.

Si usted no es rico aún, pero es muy trabajador y percibe un sueldo decente, entonces significa que hay algo sobre el dinero que aún no conoce. Por lo pronto, no sabe que el dinero es como otro empleo que también puede producirle dinero. El dinero es un productor de ingresos si usted sabe cómo hacerlo. Por ello, es imperativo que continué aprendiendo sobre el dinero para crecer económicamente. Recuerde que si usted quiere ser el mejor pagado, debe ser el mejor; por lo tanto, estudie todo lo relativo al dinero que quiere tener para el futuro.

6. La gente rica tiene mentalidad de abundancia. La gente pobre tiene mentalidad de escasez.

La mentalidad de abundancia permite ver las oportunidades de crecimiento. Sabe que si uno reparte es posible obtener más, tanto de los otros como del mundo en que vive. Comparta sus ideas de cómo invertir; apoye a la gente que más quiere, a sus consanguíneos, a su clan, y enséñeles lo que usted aprendió y construirá una mentalidad de abundancia con la que todos ganarán, porque se alimentarán de las ideas nuevas de cada uno.

Las personas que piensan como pobres tienen una mentalidad de escasez. Afirman: "Si tú tienes dinero es porque yo no lo tengo". Viven compitiendo con todos, compiten aun contra su propia familia y sus amigos. La riqueza de otros es su pobreza. Nunca podrán aceptar el éxito de otra persona. Si alguien de su familia se saca la lotería, pensarán que es una injusticia, aunque saben perfectamente que ellos nunca compran billetes de lotería. Es una mentalidad competitiva donde nadie corre en esa carrera, sólo ellos. Si fuera una carrera de galgos, serían los únicos perros en la pista aunque crean que hay muchos. Por lo tanto, se transforman en avaros, egoístas y oportunistas, buscando siempre el beneficio personal por encima de los demás.

7. La gente rica es proactiva. La gente pobre es reactiva

La gente que piensa como pobre buscará culpables para justificar su pobreza o su falta de riqueza. Piensan que su desgracia se debe a las circunstancias, a la pobreza de sus padres que no los educaron, al gobierno que roba, a la mala suerte, pero nunca a su ignorancia financiera. Los que piensan como pobres no saben que, cuando creen que sus problemas provienen de situaciones externas, esa forma de razonar es, precisamente, la que los tiene encerrados en su mentalidad de pobres, sin liquidez. La gente proactiva tiene iniciativa y busca cómo resolver responsablemente su deficiencia financiera. Se hacen responsables de construir su vida económica y trabajan duro en ello; definitivamente, toman las riendas de su destino económico.

8. La gente rica piensa en ahorrar para invertir. La gente pobre piensa en ahorrar para gastar.

La gente con mentalidad de pobre piensa que trabajando duro y ahorrando mucho podrá tener algún día estabilidad económica. La inseguridad y el desconocimiento no le permiten comprender el error de este razonamiento. Si además su mente está educada en el mundo del consumo, pensará que el dinero es para disfrutarlo: "Para ello trabajo tanto y no me llevaré nada a la tumba. ¡No quiero ser el más rico del panteón!" Con esta forma de pensar caerá fácilmente en la seducción de los seis meses sin intereses, pagando con tarjeta. Terminará en un callejón sin salida que nunca lo llevará a la independencia económica. Las personas que piensan como ricas también consideran el ahorro, pero para invertir y hacer que el dinero produzca, asumiendo riesgos controlados. Son inteligentes utilizando sus tarjetas de crédito: la usan sólo como un instrumento para financiarse treinta días, pagando la totalidad del saldo mes con mes. También viajan y disfrutan de la vida, pero primero construyen sus activos, y no al revés.

9. La gente rica sabe que pensar como rica antecede su capacidad para serlo. La gente pobre actúa como rica sin serlo.

¿A cuánta gente no conoce que ha perdido todo su dinero y nunca se recuperó? ¿De cuántos no sabemos que recibieron una gran herencia y en poco tiempo se quedaron sin nada? ¿A cuántos no conoce que ganan mucho, pero no tienen un centavo ahorrado? Toda esta gente actuó como rica, pero nunca tuvo mentalidad de rica. Cuando alguien tiene mentalidad de pobre le sucede algo parecido a lo que les pasa a muchos deportistas que ganan millones, pero luego regresan al nivel del dinero que su mente tiene. Si su mente es pobre, no importa cuánto gane hoy, ya que en algunos años regresará al nivel de su mente pobre. La gente rica construye en su mente la habilidad para multiplicar. La riqueza va creciendo en la medida en que aumenta su sabiduría sobre el dinero. ¿De cuántos no nos hemos enterado que han perdido todo y en pocos años se recuperan? Pensar como rico antes de serlo es un principio que rige todos los órdenes de la vida; usted debe sembrar antes de cosechar. No puede dormir todo el invierno y en la primavera querer recuperar el tiempo perdido acelerando el proceso. No espere hasta los sesenta años para pensar que debe hacer algo rápido con su dinero. La ley de la cosecha gobierna en la vida: no se puede dar lo que no se tiene. No puede darle a su vida lo que su mente ignora. Este principio de sabiduría debe aplicarlo a su vida si desea pensar como rico y transformarse en millonario. Pero no rete el principio gastando como rico sin serlo porque le cobrará la factura con su pobreza, por haber violado un principio universal.

Cómo actúan

10. En la vida la gente rica juega a ganar. La gente pobre juega a no perder.

La gente que piensa como pobre juega a la defensiva, nunca a la ofensiva. La prioridad de las personas cuya mentalidad se identifica con la de los pobres será sobrevivir y buscar la seguridad en lugar de crear riqueza. Tendrán una actitud pasiva que las hará confirmar que, como trabajan mucho, la vida debe compensarlas con mucha riqueza, que deben reconocerles el sacrificio que hacen por su trabajo y por la compañía. El mundo, lamentablemente, no está para cuidarlas y adecuarse a su lógica. Usted debe tener una actitud que induzca al resultado, usted es el guardián y precursor de todas sus metas en la vida. No viva agazapado esperando que la justicia reconozca su esfuerzo.

11. La gente rica se compromete y trabaja para ser rica. La gente pobre desea ser rica.

La realidad es que la mayoría de las personas tienen miedo de ser ricas, porque abrigan muchos pensamientos negativos y temen perder lo poco que han acumulado. Un buen número de personas no obtienen el dinero que quisieran porque no saben lo que quieren del dinero; ven en éste sólo un instrumento de compra, no de construcción de riqueza. El desconocimiento del tema las aterra, pero no se documentan.

12. La gente rica se enfoca en las oportunidades. La gente pobre se preocupa de los obstáculos.

Los millonarios siempre piensan en el crecimiento potencial y las oportunidades. La gente que piensa como pobre ve el riesgo potencial de perder. La gente rica se concentra en los beneficios mientras que quienes piensan como pobres se preocupan por la pérdida potencial y el riesgo que deben correr. A estos últimos los inhibe el temor; esperan perder y, por lo tanto, no ganan.

13. La gente rica analiza a otros ricos. La gente pobre envidia a los ricos.

La gente con mentalidad de pobre es celosa y piensa en la buena suerte que tienen los ricos. Si usted ve la riqueza como algo malo o cree que el dinero es la causa de todos los problemas de la sociedad, desde luego que no querrá ser rico. Muchos están convencidos de que la culpa de que en este mundo existan tantos pobre son los ricos. Entonces usted se transformará en una víctima de la riqueza y la evitará. Su resultado económico será producto de sus pensamientos dominantes.

14. La gente rica acepta que le paguen por resultados. La gente pobre quiere que le paguen por el tiempo trabajado.

La gente que piensa como rica acepta el reto, las oportunidades y la incertidumbre. Cree en sí misma y busca la oportunidad del riesgo que pocos quieren correr, en compensaciones variables. La gente con mentalidad de pobre piensa en la seguridad y quiere que le paguen por lo que hizo. Desea un empleo seguro y estabilidad a largo plazo. Vivir obsesionado en la seguridad es vivir con un miedo permanente. No olvide que el riesgo calculado fue lo que hizo que el ser humano llegara a la Luna.

15. La gente rica maneja muy bien su dinero. La gente pobre no sabe cómo administrar su dinero.

La característica que define a los individuos ricos es que son buenos para manejar su dinero, y punto. Los que piensan como ricos no son más inteligentes que las personas que piensan como pobres, la única diferencia es que los primeros tienen buenos hábitos que los segundos no poseen. Un porcentaje elevado de quienes piensan como pobres no saben cómo administrar su dinero, porque nunca les enseñaron que eso era prioritario para su salud financiera. Muchos de los que piensan como pobres no sólo no saben administrarse, sino que evitan hablar o profundizar en temas relacionados con el dinero. Creen que si se preocupan por el dinero éste los hará esclavos. Recuerde: el hábito de administrar el dinero es más importante que la cantidad que se tiene.

16. La gente rica hace trabajar muy duro su dinero. La gente pobre trabaja muy duro por el dinero

No hay duda de que trabajar duro es importante, pero si sólo se dedica a trabajar duro no se hará rico; necesita hacer que su dinero trabaje para usted. Hay gente muy trabajadora que tiene dos empleos o bien trabaja hasta altas horas de la noche. ¿Se han hecho ricas estas personas con esos ingresos? La respuesta es no, si no ponen su dinero a trabajar horas extra. Recuerde que cuando usted hace que su dinero trabaje, éste trabaja las veinticuatro horas del día para usted, y no se cansa ni se enferma. Aproveche esa ventaja de la capacidad de generación de riqueza de su dinero.

17. La gente rica piensa en desarrollar sus capacidades. La gente pobre piensa en el corto plazo.

Cuando las personas piensan como pobres sólo les interesa cómo pueden obtener lo mejor aquí, hoy o el próximo mes. Son oportunistas, competitivos, egoístas, piensan en el corto plazo, en ganar sin pensar si el otro pierde. Los que piensan como ricos desarrollan sus capacidades para mejorar su conocimiento, se acercan quienes sí saben y toman mejores decisiones acerca del dinero. Saben que el secreto de su éxito está en pensar a largo plazo. Las personas que piensan como pobres matan a la gallina de los huevos de oro, porque no desarrollan la capacidad para producir resultados. No comprenden que su recurso para generar riqueza nace de la capacidad para tomar decisiones inteligentes. Por favor, no mate a la gallina de los huevos de oro de su vida financiera.

18. La gente rica toma decisones económicas racionales. La gente pobre toma decisiones económicas por impulso.

El dinero no es como manejar un automóvil. Si usted se equivoca de calle, regresa y toma el camino de inmediato. En el mundo del dinero, si usted se equivoca demorará años en recuperarse. Las decisiones de dinero se toman con reflexión, análisis y asesoría para minimizar el riesgo. Debe conocer los principios que lo rigen para tomar decisiones que impliquen el menor riesgo. Su nivel de prevención tiene que ser directamente proporcional al nivel de riesgo que asumirá. Las decisiones económicas son como movimientos de ajedrez que siguen una estrategia. Su motivación surge de la más profunda convicción del proyecto económico de su vida. La gente que piensa como pobre es víctima de sus emociones o del impulso por adquirir las promociones de temporada. Se tornan en consumistas empedernidos y toman decisiones de bote pronto. Sus decisiones están motivadas más por el saldo mínimo a pagar que por una necesidad. ¿A cuántas personas no ha escuchado declarar que salen de compras sólo porque están deprimidas? La necesidad emocional de reforzar su autoestima es inconsciente, y más aún si usted es una persona muy emocional. Analice de qué manera la publicidad de una tarjeta de crédito apela a sus emociones, su ego, su estatus, su autoestima. "Sólo porque lo valgo", "Para aquellos que pueden", "Viva donde usted lo merece", "Distíngase comprando…". Para construir su riqueza deberá educar también el impulso de sus emociones.

En todas las páginas de este libro, hemos hablado sobre la educación en el mundo económico para alcanzar la libertad financiera. Deseo terminar reflexionando sobre los principios que gobiernan el desarrollo integral del ser humano, para que pueda tener una vida económica plena, pero también para que sea una persona feliz y tranquila. La mejor inversión que puede hacer en su vida es en usted mismo, y de usted hemos hablado en cada una de las páginas del libro. Esa inversión de tiempo en nuestras capacidades es el único instrumento con el que los seres humanos contamos para vivir como nosotros deseamos. Nosotros somos el instrumento de nuestra propia ejecución, y para ello debemos estar conscientes de que debemos invertir tiempo en nosotros, principalmente en nuestras prioridades de vida y económicas. El objetivo de su vida es preservar el tesoro más preciado, que es su vida misma.

Para construir una vida en plenitud es necesario mantener un equilibrio entre el mundo interior y el exterior, entre las necesidades físicas y las mentales. Estas cuatro grandes dimensiones le permiten al ser humano vivir en armonía y cuando lo logra, se refleja en una existencia más sana y es capaz de tomar mejores decisiones. La mayoría de las filosofías definen al ser humano como un todo integrado por cuatro grandes áreas entre las que debe existir un equilibrio. Dichas áreas son: física, económica, mental, emocional y espiritual. Éstas explican porque la subordinación de un área a la otra producirá un vacío que debilita la plenitud de su vida. Vivimos en un mundo interdependiente donde un factor está condicionado por otro para poder vivir en plenitud. Es un proceso ecológico donde nada vive sin los otros elementos del sistema. Así como las plantas necesitan del sol, el agua, el oxígeno y la tierra, y no pueden prescindir de ninguno para vivir en plenitud, así es la vida humana. Si usted considera que el dinero es lo único importante, las demás áreas de su vida se subordinarán a ese aspecto. Vivirá, pues, una vida sin equilibrio, producto de dicha incongruencia. Veamos cada una de las áreas que debe cuidar en su vida:

Área físico-económica

El área física integra su vida material, económica y el cuidado de su salud. En ella están todas sus metas económicas, su estabilidad material, todo lo que aprecia del mundo exterior. Pero de nada sirven sus ambiciones económicas si no cuida su salud. Su integridad física antecede a su capacidad para alcanzar metas económicas. Quizá sea necesario empezar a comer por salud y no sólo por el sabor, o hacer algo de ejercicio y cuidar su nivel de estrés. De nada le servirá cubrir sus ambiciones económicas con tres *by-pass* en su corazón. Necesita usted disfrutar del resultado del esfuerzo de haber alcanzado su salud económica. Es deseable llegar a la cumbre sano para contemplar la obra de su vida. Así como necesita cuidar su salud económica con gran devoción, también necesita cuidar su salud física, ya que ella será la que lo transporte por la vida y determine hasta cuándo podrá disfrutar de su inteligencia financiera.

Área mental

Se refiere al desarrollo del conocimiento que integra su vida profesional. El músculo de la sabiduría y del conocimiento será fundamental para su crecimiento profesional. Si usted es líder de un grupo deberá ser un estudioso de cómo manejar a su gente, porque de ella depende su éxito profesional y económico. Desafortunadamente, muchos ejecutivos piensan que los ascensos vienen por los años de dedicación y entrega. Otros por su vocación y lealtad a la empresa o al dueño. Usted no producirá mejores resultados por ser leal, sino porque sabe cómo hacer las cosas o está más preparado para producir resultados tangibles. El excelente manejo de su dinero será también producto de la especialización en esta área del conocimiento. No puede continuar trabajando todos los días de su vida por algo que no sabe manejar o administrar: "llamado dinero". Lo que sí sabe es cómo gastarlo, ése es un don natural en el que ud. no necesita estudio.

Área social

En esta área se encuentra su vida de relaciones interpersonales, incluida desde luego su vida familiar. La familia es la razón de muchas cosas en la vida. Muchos afirman que el sacrificio en el trabajo es por la misma familia. Pero también hay muchos que, en nombre del bienestar económico de la familia, acaban con la familia misma. Sus larguísimas jornadas de trabajo no contribuyen a la salud familiar. La focalización de su mente sólo en el dinero pone a su familia en un plano secundario, aunque sea la razón de su sacrificio. Es una situación que se paga muy caro. También sucede que aquellos que están centrados en la familia dejan pasar muchas oportunidades profesionales y de crecimiento económico, todo lo que signifique un desapego del hogar. Por ello es tan importante el equilibrio.

Área espiritual

Es el área que le permitirá construir su estructura de valores, la que aglutinará todo su mundo interior. Su honestidad, rectitud y justicia se regirán por el mundo espiritual. Si el dinero subordina totalmente su mundo espiritual, con el tiempo el fin justificará los medios. El resultado económico será más importante que el camino para llegar a él. Muchos grandes pensadores coinciden: "Si tú no actúas como piensas, terminarás pensando como actúas"; y al final uno es cualquier cosa menos lo que quiso ser. Los actos de usted deben estar gobernados por pensamientos con valores profundos para que el dinero no lo haga presa de la avaricia, la ambición desmedida. No es posible vivir con valores a la carta, no podemos utilizarlos a nuestra conveniencia. Si su vida está centrada totalmente en el mundo espiritual, las áreas material económica, social y mental estarán en segundo plano, y sólo aceptará personas e ideas que se relacionen con sus preceptos y negará todo lo demás, lo que seguramente no lo llevará a la plenitud como persona ni a su crecimiento financiero.

Consejos para el próximo lunes

1. Sus viejos hábitos de consumo nunca le permitirán acumular riqueza.
2. Seleccione cada hábito y escriba los cambios que realizará.
3. Los hábitos se cambian cuando uno los repite y los aplica. ¡Aplíquelos!
4. Primero, seleccione los más importante para usted.
5. Lleve consigo escrito por treinta días el hábito que desea cambiar y póngalo en lugares visibles para usted diariamente
6. No olvide que para que su realidad económica cambie primero debe cambiar usted, no su sueldo.
7. Reúna a su familia para comunicar el cambio de hábito al que se comprometió.
8. Tenga la disciplina de escribir las acciones para cada hábito y trabaje en ellas.
9. Festeje cuando incorpore un nuevo hábito en su vida.
10. Comparta sus cambios con un asesor financiero, con su abogado, con su mejor amigo y haga un plan.

balance *integral* de su vida

"Comience a generar dinero e invertirlo a temprana edad"

ES IMPORTANTE terminar señalando que su balance integral debe ser el objetivo de su vida. La focalización en una sola de las áreas, subordinando a las demás, lo llevará a un vacío existencial y a una felicidad parcial. No sentirá en su ser la plenitud de estar llenando su vida de los satisfactores más importantes. El balance entre el mundo exterior y el interior determinará el nivel de satisfacción en su vida.

Cuando uno descuida una o varias áreas el todo resulta afectado negativamente. No olvide que usted tiene una sola oportunidad para vivir a plenitud personal. La oportunidad está ahí, y es responsabilidad de usted gobernar sus conductas hacia el balance de una vida integral y ser feliz.

CAPÍTULO NUEVE

Cinco *motivos* para cambiar sus hábitos

Éste es nuestro siglo: el siglo del consumidor. Las calles están repletas de productos y de mecanismos de crédito que hacen accesibles las mercancías. Nuestra mente no puede resistir tal grado de sobresaturación, tanta diversidad, y el marketing apela a la sensibilidad emocional de los seres humanos. Tener conciencia de la tendencia del mundo en que vivimos es clave si no quiere ser aplastado por el modelo de seis meses sin intereses. El contenido de este libro tiene el propósito de generar un profundo compromiso de cambio en su forma de pensar para que usted comience el proceso de transformación de sus hábitos con el dinero. De no ser así, sólo tomará conciencia de su problema pero continuará actuando igual que hasta ahora y será un libro más en su vida. Albert Einstein decía: "El nivel de pensamiento que se requiere para tomar conciencia de un problema no es el mismo que el que usted requiere para resolver dicho problema". Es decir, usted puede tener conciencia del problema, pero no hacer nada por ello, sólo que incurra en una crisis que no le dé opción de postergar las acciones que por años ha sabido que tiene que realizar. La decisión de cambio en sus hábitos de ahorro para acumular riqueza es hoy impostergable dado que existen varios factores del medio que quiero sintetizar y resaltar. Estos elementos son variables del entorno que exigen que usted se transforme en un inversionista de su dinero y no un consumista de su dinero. Salvo que usted sea una persona con suficiente capital y sea realmente rico, no tendrá que seguir mis recomendaciones. Pero si usted es una persona común, como los millones que vivimos en este mundo, que vive de su trabajo, es necesario que comprenda que el entorno económico del siglo XXI tiene un comportamiento que exige el cambio consumista que heredamos del mundo económico del siglo XX.

El siglo XXI tiene las siguientes características:

I. El mercado del exceso a su disposición

El siglo XX en el que usted se educó y creció fue una época que de 1950 a 1980 se caracterizó por un crecimiento consistente de los productos de las empresas y una ascendente expansión en mercados nacionales e internacionales. Este crecimiento le permitió a la gente vivir con un solo empleo y comprar los artículos que poco a poco las empresas comenzaron a crear para los mercados en crecimiento de esa época. A partir de la década de los ochenta hasta nuestros días, el mundo ha experimentado una transformación que ha obligado a las organizaciones a producir más y nuevos productos. Esta situación ha creado un mercado sobresaturado de competidores con nuevos productos y servicios. La única forma de desplazar dichos productos fue creando múltiples mecanismos de crédito para hacerlos accesibles a todos. Aquellos que no comprendieron este proceso han caído en el mundo de "ganar y gastar" dadas las enormes facilidades que los genios financieros crearon para el consumidor sensible. Hoy, su problema no es comprar sino pagar. Los ingresos ya no pueden soportar la carga de las tarjetas de crédito y el consumo desmedido de productos al alcance de todos. Ya no hay productos sólo para ricos, hoy existen productos para todos los niveles económicos. El problema es preguntarse cuántos más pares de tenis desea comprar, cuántos más carros necesita, cuántos viajes quiere hacer, cuántas hamburguesas quiere comer. Esta vorágine de lo nuevo, lo último, lo mejor, está agobiando al consumidor. ¿Se acuerda usted de cuando con un mismo par de tenis íbamos al colegio y con ellos jugábamos futbol, tenis o salíamos a pasear? Hoy, la empresa de tenis *Nike* tiene para usted doscientos diferentes modelos: de basquetbol, *Jordan, cross training*, para jugar tenis, *lifestyle*, para soccer, golf, walking o bien outdoor. Ni usted ni su hijo aceptarían hoy realizar un deporte sin los tenis adecuados, ¡pueden lastimarse! Por ello, la falta de riqueza no es producto de su ingreso sino de sus hábitos de consumo. Debe salir de la trampa del siglo XXI de sobresaturación y sobreoferta de cientos de productos para una misma necesidad que son accesibles a sus posibilidades de pago mensual. Esta seducción de acceso a la compra le impide a usted pensar en su futuro, en su riqueza o en su futura estabilidad económica para los próximos años. Así pues, el modelo consumista aprendido no le permitiera salir del síndrome del hámster: "trabajar mucho para gastar mucho". La respuesta no es dejar sólo de gastar —que le aseguro que no lo llevará a la riqueza—, sino que necesita aprender a invertir. Necesita dominar el nuevo modelo de sobresaturación para aprender a sobrevivir en él. O ser su víctima.

II. El empleo es la actividad más insegura para ganarse la vida

Dado el enorme nivel de saturación de productos en el mercado, las empresas han decidido reducir costos de operación ya que con la cantidad de competidores en el mercado es imposible aumentar sus ventas. Esto sólo es posible aumentando los meses de crédito y reduciendo sustancialmente sus costos de operación para financiar el crédito o buscar nuevos mercados. Las empresas han aprendido a ser más eficientes, racionales y productivas. Encontraron mecanismos de downsizing, haciendo reingeniería o instalando sofisticados software que les han permitido hacer más con menos. Hordas de competidores salen a la calle con nuevos precios, nuevos productos y nuevos créditos, y las empresas deben reducir sus costos para sobrevivir. Miles de empleos son eliminados a diario y sólo se quedan aquellos que son muy trabajadores y eficientes, capaces de trabajar de doce a catorce horas diarias para realizar sus tareas. Si usted hoy sale a las seis de la tarde, le preguntan: "¿Por qué tan temprano? ¿Adónde vas?" Se le tacha de ser un empleado sin compromiso y seguro que perderá el empleo muy pronto. Son miles y miles las personas en las calles que están dispuestas a tomar empleos por menos salario del suyo y trabajar largas jornadas. Quienes fueron educados para ser empleados dependientes de un sueldo duermen inquietos pensado que no vivirán más que algunos meses si perdieran la seguridad de su actual salario mensual. Por ello es necesario que aprenda a ser inversionista de sus excedentes y no un consumista de sus excedentes. Necesita ver su vida como una empresa que debe desarrollar; pensar en su independencia económica y en hacer crecer el capital de que dispone. Recuerde los consejos del capitulo 3. Para eso es preciso estudiar, aprender y conocer cómo manejar su sueldo, porque usted ha sido muy bien entrenado en cómo gastarlo en todos estos años de vida activa.

III. El dinero de su jubilación o del seguro social no le permitirá sobrevivir

Las organizaciones privadas y las instituciones de gobierno no tienen la capacidad de mantenerlo cuando llegue el día de su retiro de la vida activa. Anteriormente, usted pensaba que entre los cincuenta y cinco y los sesenta años se retiraría para disfrutar sus años de trabajo. Pero hoy usted puede vivir hasta los ochenta años y trabajar sin problemas hasta los setenta. Pregúntese si sus ahorros le permitirán vivir diez o quince años sin trabajar después de su jubilación. Lo más probable es que no. Por lo tanto, es tan importante que a sus cuarenta años comience a definir su plan de ahorro e inversión para sus años de madurez. Sólo que quiera salir a buscar un trabajo a los sesenta o poner un pequeño negocio a esa edad, que seguramente será un vía crucis para su modelo tradicional de pensamiento. Está obligado a aprender a dominar el arte de administrar su dinero. Necesita tener un asesor de cabecera que lo eduque y lo oriente a manejar sus excedentes. Debe conocer las decenas de instrumentos que existen para evaluar sus mejores opciones de acuerdo con sus ingresos y posibilidades. Ésta es una tarea que no debe postergar. Usted es el único que puede construir su seguridad financiera para cuando se retire. No se engañe: olvídese de su capacidad de compra y preocúpese de su capacidad de inversión, que es lo único que garantizará su independencia económica.

IV. No está entrenado para hacer dinero

Usted está entrenado para gastar dinero, no para acumular y hacerlo crecer. No olvide que usted es producto de la cultura consumista del siglo XX y vive agobiado ahora por la seducción de sobreofertas del siglo XXI.

En este mundo se ha vuelto complejo sobrevivir a este bombardeo de ofertas; las familias no pueden vivir con un solo empleo. En muchísimos hogares ambos cónyuges trabajan y mantienen un nivel de vida decoroso, pero viven agobiados por la trampa de "trabajar y gastar". Esta rueda de la fortuna que aparenta proporcionar una mejor calidad de vida —mejor dicho, una "calidad de gasto"— exige de usted responsabilidad en el manejo de su dinero. Ya no tiene excusa para su falta de habilidad en los números. Tampoco es aceptable no tener tiempo para ellos o desconocer cómo resolver su situación económica. Recuerde que lo que lo tiene en el predicamento económico actual no son sus gastos, sino su falta de conocimiento de cómo administrar sus ingresos. Del mismo modo en que aprendió su profesión en la universidad o aprendió a trabajar desde muy joven, así debe iniciar hoy una nueva ruta en su vida. Estudiar, documentarse, asesorarse, por banqueros, asesores financieros, expertos en reducción de impuestos. Ellos pueden educarlo para que viva mejor con sus ingresos. Su sueldo no lo va a sacar del problema, sólo su mente será la que lo saque. Si no es capaz de estudiar este tema, entonces estará condenado a pensar que un aumento de sueldo le resolverá su incapacidad y desconocimiento de cómo administrar eficientemente sus gastos. No olvide que a usted jamás lo entrenaron en la administración de su dinero y es responsabilidad suya resolver ese vacío. Usted ha sido entrenado para trabajar mucho y gastar mucho. No sea como miles de personas que salen todas las mañanas a trabajar por algo que no saben cómo se administra. El desconocimiento hará que el dinero lo controle a usted y no usted a su dinero. Concientícese de que el dinero es el producto del que usted dispone para poder invertir. Debe saber cómo hacer dinero con el dinero, no sólo con su trabajo diario. Deberá aprender el arte de hacer dinero mientras duerme. Recuerde: su dinero puede trabajar las veinticuatro horas para usted, ya que él nunca se enferma ni se gasta si sabe invertirlo correctamente.

V. Su salario nunca alcanzará a la inflación

A menos que siga alguno de los consejos del capítulo 3, usted y su salario están destinados a tener menos poder adquisitivo. El aumento anual nunca alcanzará a los precios. Como mencioné en los puntos anteriores, los genios financieros han logrado incorporar en la sociedad sistemas muy novedosos de crédito para compensar dicha pérdida. Pero ésta es una carrera que jamás ganará si no hace algo diferente de lo que ha hecho hasta ahora con su dinero. Su oportunidad está en utilizar el único recurso con que cuenta para incrementar sus ingresos, a saber: su propio dinero. Lo invito a que vea su dinero en forma despersonalizada, a que lo considere sólo un producto que tiene almacenado en su bodega del banco y al cual debe sacarle la mayor rentabilidad posible y no dejarlo en la bodega de su caja de ahorro. El dinero es a su riqueza lo que la sangre a su cuerpo; si no circula, se muere. Si usted cambia su mente a la de empresario/inversionista podrá salir avante con el proyecto de su vida económica. Si realiza inversiones con deuda buena compensará la carrera desventajosa del crecimiento de los precios y podrá acumular riqueza para planear su vejez.

Aplique el proceso integral de su riqueza

El proceso que aprendió en este libro tiene tres etapas: 1ª. ingresos, 2ª. acumulación y 3ª. planeación.

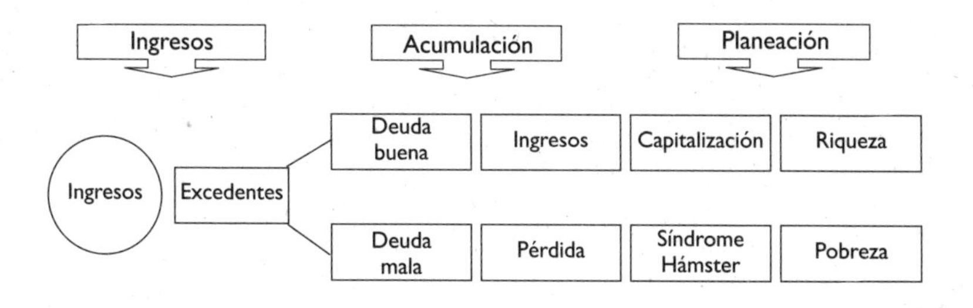

Máximas *de la riqueza*

Seleccione aquélla que desea incorporar en su nueva mente financiera

1. Es más importante la educación financiera que sacar diez en la educación formal.
2. Para adivinar si alguien es millonario, no se guíe por lo que gasta sino por cuánto tiene invertido.
3. Nos acostumbramos a comprar cosas que no necesitamos, con dinero que no tenemos, para impresionar a personas que no conocemos.
4. Recuerde que, como usted nació en un mundo de consumo, no tiene buenos reflejos para acumular.
5. Cuídese de lo que piensa acerca del dinero, porque ello puede hacerlo más pobre.
6. El dinero no le da salud, pero compra medicinas.
7. Tener dinero no es una justificación para comprar todo lo que pueda.
8. Las personas con independencia económica son más felices que aquellas que gastan mucho sin activos que las respalden.
9. Su incapacidad económica es producto de su ignorancia financiera.
10. Ser una persona austera en gastos es como la piedra angular con que se construirá la riqueza.
11. La mayoría de los millonarios de hoy son de primera generación. Cada vez son menos los que heredan fortunas.

12. Usted es rico si tiene ingresos por activos superiores a los que le ingresan mensualmente por su sueldo.
13. Su nivel de riqueza está definido por la cantidad de días que puede vivir sin trabajar manteniendo el mismo nivel de vida que tiene hoy con su sueldo.
14. Es más fácil ganar mucho que acumular mucho.
15. Usted no ha nacido para ser pobre o rico, ha nacido con la capacidad de decidirlo.
16. No confunda cantidad de gasto con calidad de vida.
17. La deuda por consumo es un sistema que hace ricos a los banqueros, pero no a usted.
18. Si maneja inteligentemente su tarjeta de crédito usará el dinero del banco en su beneficio.
19. Usted no es rico porque puede gastar, sino por su capacidad de invertir.
20. Usted no necesita aprender a gastar, necesita saber invertir.
21. Aplique la disciplina del sándwich con café si quiere iniciarse en el camino de la riqueza.
22. Comience el hábito del ahorro desde muy joven.
23. Primero desaprenda el modelo consumista para después aprender el mundo de la riqueza.
24. Empezará a crear riqueza sólo cuando su dinero trabaje para usted, no cuando sólo usted trabaje por el dinero.
25. Es una tristeza ver que millones de seres humanos salen todos los días a trabajar por algo que no saben administrar.
26. La mayoría de las riquezas provienen de invertir, sistemáticamente, pequeños montos.
27. Use el dinero como una herramienta, no como un medio de consumo.
28. Si su motivación para tener dinero surge de su temor, inseguridad o aprobación social, el dinero nunca le dará felicidad.
29. Si cree que el dinero es la causa de muchos males, esto se transforma en un imán de pobreza.
30. La razón por la cual la mayoría no obtiene lo que desea es porque no tiene claro lo que quiere.
31. Lo que usted escucha, lo olvida; lo que ve, lo recuerda, pero sólo lo que hace, lo comprende: ¡invierta!
32. Si usted no entiende cómo manejar su dinero, su riqueza será siempre menor
33. Los líderes hacen mucho más dinero que los seguidores.
34. El secreto no es evitar problemas, sino que usted crezca para ser más poderoso que sus problemas económicos.

35. Nunca habrá un límite en sus ingresos si piensa como empresario e inversionista.
36. Hasta que usted no se demuestre que puede administrar lo que gana jamás logrará lo que quiere.
37. El hábito de administrar su dinero es más importante que la cantidad que tiene.
38. Las personas que piensan como ricas conciben el dinero como una semilla que pueden sembrar para tener mucho más. Para los pobres, el dinero es sólo un recurso con el que es posible adquirir.
39. Si usted sólo hace lo fácil tendrá una vida difícil, pero si se concentra en lo que le resulta difícil su vida será muy fácil.
40. Setenta y uno por ciento de los ricos hacen una lista detallada antes de salir de compras.
41. Los ricos tienen dos atributos: tenacidad y liderazgo.
42. El control de sus gastos lo mantienen a flote, pero su mente de empresario/inversionista lo hará crecer.
43. El camino hacia su libertad económica no comienza en el banco o en sus inversiones: comienza en su mente.
44. Lo que lo tiene endeudado no es lo que usted sabe acerca del dinero, sino todo lo que no sabe.
45. Oscar Wilde decía: "Sólo hay una clase de personas que piensan más en el dinero que los ricos, y ésos son los pobres".
46. El dinero es como la sangre: debe circular para mantener su salud financiera.
47. Todos tenemos el poder de elegir. Elija ser rico y haga realidad esa elección día con día.
48. No invertir es más riesgoso que invertir.
49. La gente que piensa como pobre trabaja para ganar dinero. Los que piensan como ricos hacen que su dinero trabaje mientras ellos duermen.
50. No hay nada más común que toparse con un inteligente pobre.
51. Si quiere ser rico, no trabaje para un negocio. Tenga su propio negocio.
52. Deje de trabajar, haga que su dinero lo haga por usted.
53. Muchos tienen grandes ideas, pero no son ricos. Para ser rico solo necesita llevar a cabo lo que piensa.
54. Para lograr su libertad económica debe entender la diferencia entre seguridad en el empleo y seguridad financiera.
55. La riqueza está en todos lados, pero la mayoría de las personas no están entrenadas para verla.

56. Endeudarse es fácil. No viva con lujos hasta que no construya activos que puedan respaldarlo.
57. Si quiere ser rico necesita aprender cómo mover el dinero, no cómo guardarlo.
58. La gente pobre derrocha su dinero en gastos superfluos. Los ricos derrochan su dinero en activos que les producirán dinero.
59. Demuestre su inteligencia financiera incrementando sus deudas buenas y reduciendo las deudas malas.
60. La inteligencia financiera consiste en la habilidad para transformar el dinero en activos que le produzcan dinero sin que usted trabaje.
61. Un plan de retiro es más una estrategia de ahorro que una estrategia de inversión para retirarse rico.
62. En la vida hay dos tipos de problemas: tener muy poco dinero o tener mucho dinero. Decida cuál es el que usted quiere.
63. Si usted conoce cómo leer un estado financiero, tendrá más control de su dinero.
64. Los que piensan como empresarios/financieros crean fortunas haciendo que otros y su dinero trabajen para ellos.

Reglas con sus hijos

i. No les diga a sus hijos que usted es muy rico hasta que no hayan establecido un estilo de vida maduro, disciplinado y adulto.
ii. No importa qué tan rico sea usted, enséñeles a sus hijos a leer un estado financiero a temprana edad.
iii. No les hable de las herencias que tendrán ni del dinero que recibirán.
iv. Haga que desarrollen su inteligencia financiera desde que son niños.
v. En la escuela nunca educarán a su hijo a manejar sus finanzas personales, ésa es responsabilidad de usted como padre.
vi. Si a su hijo de dieciséis años le entrega una tarjeta de crédito, no le estará enseñando a ser responsable.
vii. Convenza a sus hijos de que el dinero es el primer producto que tienen en inventario para construir su riqueza. Deben moverlo.